kimi no machi
kyo machiko

きみのまち

歩く、旅する、書く、えがく

今日マチ子

rn press

まえがき

二〇二三年。会う人ごとに「休みはどこへ行きましたか?」と聞かれた。

挨拶のことばが「コロナ」から「旅」になった。

一気に旅に出る人が増えたし、日本にもたくさんの観光客が来るようになった。

私自身も、仕事とプライベート含め、あちこち行く機会が多くなった。本来、遠くに出かけるのが大好きなので、それだけで嬉しい一年だ。

旅ができる、ということは、それだけ余裕があるともいえる。コロナに限らず、自身の健康、試験、仕事、金銭的問題であったり、家庭の事情。なかなか旅に出かけられないときもある。それこそ戦禍や厄災の中にあったら、旅はとてつもなく遠くなる。

自分の人生に現れた、一瞬の晴れ間のようなこの機会を忘れないようにしようと思う。また困難の中にあるとき、支えてくれるかもしれないから。


コロナ禍の日常を二〇二〇年から綴ってきた。

二〇二三年は「旅ができる日々」として、一年を記録することにした。

この本は私の初のエッセイ集だ。絵を描くとき、極限まで言葉による情報を削っていくことが大切なのだけど、今度は絵と並行してたくさんの言葉を紡ぐことにした。言葉を削りすぎた反動なのか、久しぶりに文章を書きたいという気持ちが出てきた。最近は漫画の仕事が増えて、なかなか絵日記どころではなくなってきた。それでも日々の日記はライフワークとして大切にしていきたい。

私はお金持ちではないので、休暇や娯楽としての旅はほとんど行ったことがない。豪華な旅、グルメとか、スイートルームとか、そういうものには縁がない。

出張ついでの旅とか、取材を目的とした旅がほとんどだ。

その土地の小さな生活を見つけること。下校中の子どもたちを眺めたり、猫を発見したり。路地裏の探検。錆びた看板。地元の人々が注目もせず、淡々と過ごしている姿に惹かれる。日頃の自分も同じようなものだ。知らない土地だからこそ発見できる、ありふれた風景を探している。

それは、世の中の大多数である人々、平凡な生活者たちを、肯定していきたいという希望でもある。

私たちのいる世界が、美しく見える瞬間があるのだ。

This book is my first collection of essays. When drawing a picture, it's importa
nt to eliminate verbal information as much as possible, but this time, I decided
to write a lot of words in tandem with the pictures. In what may have been a re
action to cutting down on words too much, I felt like wanting to write for the
first time in a long while. Recently, my manga work has increased, so I haven't
been able to do illustrated journal entries. Even so, I want to cherish my daily
journal as part of my life's work.

I'm not rich, so I've rarely traveled on vacation or for pleasure. I have no conne
ctions to luxury travel, gourmet food, suites, or anything like that.

Most of my traveling is for business trips or information gathering.

For finding small scenes of daily life in that location. Watching children on th
eir way home from school, spotting a cat. Exploring back streets. Rusty signbo
ards. I'm fascinated by the way local people calmly spend their time, paying no
attention themselves. My usual self is similar. I'm looking for scenery in comm
on that I can only discover in an unfamiliar place.

It's also my desire to give affirmation to the majority of people in the world, or
dinary people.

There are moments in which the world we are in looks beautiful.

2023. Every person I met asked me, "Where did you go on vacation?"
Greetings changed from "COVID" to "travel".
The number of people traveling suddenly increased, and a lot of tourists began coming to Japan as well.
I myself have also had more opportunities to travel to various places, both for work and in private life. I actually love traveling far away, so this alone made this year a happy one for me.
Being able to travel means you have that much leeway. Not just with COVID, but also your own health, exams, work, lack of funds, and family circumstanc es. Due to a variety of factors depending on the person, there are times when it's difficult to go on a trip. Particularly in the midst of war or disaster, travel becomes incredibly out of reach.
I'm going to try never to forget this opportunity that appeared in my life like a brief moment of sunshine. Because it might also support you when you are in trouble.
I've written about daily life during the COVID-19 pandemic over three books: Distance, Essencial, and From Tokyo.
I decided to record the year of 2023 in "days I could travel".

台湾旅行記

台北

コロナ禍で、絵日記を始めたのは二〇二〇年春のことだ。あらゆる移動が制限された。海外旅行はもちろんできなくなった。国内旅行でさえ困難になり、隣県に行くだけでも神経をとがらせなければいけなかった。公園に行っても遊具の使用は禁止されていたし、ベンチに座って飲食することも許されなかった。ただ、近所を徘徊するくらいしかできなかったのだ。そんな日々を絵に描いた。世の中は常にイライラしていて、何をしても怒られる。いつか終わりが来ることだけが希望だった。パンデミックはきっと一年で収まるだろう。そう思っていた。

絵日記を出版することになったとき、「最終ページは二〇二一年の春で、旅行先の台湾で楽しそうにしている絵にしよう」と考えた。パンデミックの移動制限が解かれたら、台湾へ行く。なぜ台湾だったのか、正直なところわからないけど、たぶん、親戚の家のような海外に行きたかったのだと思う。一時期、近しい人間が台湾で仕事をしていたこともあり、私にとってはとても身近な国だった。出張のたびにカラスミやパイナップルケーキをお土産にもらって、夢中で食べた。気負うことなく、いままでの苦労を吹き飛ばせる場所。何より、ご飯が最高においしい。

つらい一年になるだろうけど、台湾の絵を描くまでがんばろうと思った。不安から解き放たれるそのときまで。

ところが、パンデミックは二〇二一年、二〇二二年になっても終わらなかった。日々を描いた絵日記は、『Distance わたしの #stayhome 日記』、『Essential わたしの #stayhome 日記 2021-2022』と続き、二〇二三年春にようやく『From Tokyo わたしの #stayhome 日記 2022-2023』で幕を閉じた。合計三年、三冊だ。でも『From Tokyo』の最後に台湾の絵は入れることができなかった。海外渡航が本当に自由になったのはその後だったからだ。だから、コロナ絵日記の締めくくりと、新しい時代のスタートとして、旅の本を作ろうと思った。

コロナ前は当たり前だった旅が、ようやく日常に戻ってきた。旅ができる喜びを、まず台湾で感じたかった。三年も待ったのだ！

怒られない日々

台湾を訪れるのは人生で三回目だ。一回目はツアー、二回目は親族での個人旅行、今回は取材。一、二回目は車移動ばかりで公共交通機関を使うことがなかった。観光地をメインにまわっていたので効率が重視されたからだ。それに人数が多いし、年齢も各自の体力もバラバラだったので仕方ないところもある。今回は私と編集氏の二人だけだったので、電車とバスと徒歩を駆使した。案の定、乗り換えを間違えたり、路線図の前で悩んだりした。でもそれも旅の醍醐味。ドタバタだったけど、一週間を乗り切った。

台湾華語も少し学んでおいた。毎朝、掃除機をかける一〇分間だけ「聞いて発音する」を繰り返していると、簡単な頻出フレーズくらいは覚えることができた。掃除機の音にかき消されるから、下手くそな発音でもあまり恥ずかしくないのが良い。仕事が忙しくてマスターするのはとても無理だったけど、それでも多少の進歩があったのは嬉しい。

台北駅の広場は不思議な空間で、広い床に人々が座って休憩したり、横になって寝ている人もいる。あまりにも自由に過ごしている人が多くて横切るのも躊躇する。二人の女の子が「ストリートファイター」みたいなポーズをとって遊んでいた。本当に謎の場所である。広さから考えると、修学旅行の集合場所とかに使うのだろうか。長距離特急の発着があるので駅弁も売っているし、お土産類もたくさんある。和菓子まで売っていた。

駅のロッカーにスーツケースを預けたかったのだけど、まったく空きがない。三〇分くらい駅構内のロッカーをしらみつぶしにまわっても、一個もない。ロッカー数自体はかなりあるのだが、台北駅の利用者が予想よりも相当多いのだろう。ロッカー難民になった同じような旅行者が続出していた。結局、行李房（荷物預かり）を検索し、駅から徒歩数分の場所にある事務所のような場所に預けて事なきを得た。ロッカーは早朝でないと空いていないのかも。

そして台北の地下鉄ではなんと、駅ナカで野菜を育てていた！　改札内に入ると飲食禁止なのだけど、つい忘れて水筒を取り出してしまう。「ちょっとフリスクを口に」というのもダメだ。日本の習慣が抜けない。気づいて戻すのを繰り返す。地下鉄車内放送では日本語の音声案内があったりして、とてもありがたい。公共交通を駆使するなら、日本の交通系ICカードに相当する「悠遊カード」を買っておくのがおすすめだ。ほぼ無敵。カード以外にもキーホルダー型、キャラクターものなど種類がたくさんあって楽しい。私はドラえもん、編集氏はピカチュウを選んだ。立体モンスターボール型もあるらしい……。ほしい……！

台湾は漢字表記。日本人にとっては、ぱっと見て意味がわかったり、地名・駅名を理解できるのがありがたい。そして何より、周囲の人々がとても親切なのだ。旅先だからひいき目にみてしまっているわけではなく、日本にいるときに比べて、困ったときに誰かが手助けしてくれる。

紙幣が自販機に入らず苦戦していると、

「ここは大きい紙幣は使えないですよ」

と、隣の人が教えてくれたり、かばんが開いていたら、

「開いてますよ」

と、言ってくれたり。レシートが落ちても、

「落ちましたよ」

と、指さしてくれる。小学生も、

「バスの行き先はここに出ています」

と、教えてくれる。


いつも日本では、「あーあ、あの人、失敗しちゃってる」と遠目に眺めているようなことを、さっと手助けしてくれる。この小さな親切が嬉しい。

東京で電車に乗るときは「他の人に迷惑にならないように」と身構えているのだけど、そもそも普通に乗っていれば何も心配することがないのである。日本での取り越し苦労とか、ジャッジしたり、されたりのピリピリした感じがなく、気楽だった。かといって、ゆるいというわけではなく、乗客マナーはすこぶる良い。

たぶん、怒られる恐怖から解放されているからかもしれない。それは外国人である、ということも多分に関係するかもしれないけど、「知らない」を「怒る」ではなく、「教える」、「助ける」で対応しているからだと思う。知らないのは罪ではない。いつだって知ることができる。それは恥ではないよ、と手助けすればいいのである。恥をかかせない振る舞いは、相手へのリ

スペクトにもなる。

電車での驚きのもうひとつは、車椅子利用者がとても多かったこと。特に台北。みな、一人でスッと電車に乗り込んで、いつの間にか降りていく。車両も車椅子が乗りやすいように段差がない。乗客も変に気をまわしたりせず、ちょっとスペースを作るくらい。車椅子の利用者二人でお出かけしている人もいた。女性同士で、車椅子を並べておしゃべりしていた。「大変な人」ではなく「乗客」なのだ。もちろんさまざまな苦労があるのは当然だけど、電車に乗る、ということに対してのハードルがとても低いように感じた。

自分はとても心配性なので、将来のことをあれこれ想像しては対策を立てるのが趣味のようになっている。利き腕を使えなくなったときのために、もう片方の手で描けるようにしておこうとか。両腕を失ったら、音声入力でネームを作って、目線の動きで絵を描けるようにできないか。視力を失ったら、俳句づくりをしようとか。年老いて世間から忘れ去られたら、名前を変えて、自称十六歳のVTuberになってみようとか。対策を考えることで不安を和らげている。そしてそのバリエーション……。もし私が車椅子利用者になったら?

台湾に住もう！　と、本気で思ったのだった。

それ以来、車椅子を駆使して台北を探検している自分を考えて、ワクワクしているのである。たぶん「車椅子」が「不幸な出来事」ではなくて、ただの状況というか、非常にフラットなのだ。それに、私が考えては不安になっていることは、それが現実になったところで、そのときになればそれなりに対応できることがほとんどなのだ。

「あれ？　なんのためにあれこれ不安がっていたんだろう」

ふわっと気持ちが軽くなった。一人で解決しようと思い込んでいたせいもあるだろう。周囲の人々が、特別視することもなく、でも困ったときには手助けしてくれる、この環境だったら、きっと大丈夫。

台湾と猛暑対策

台北に着いて、空港の外に一歩出た途端、「あ、これはまずい……」となった。湿気と日差しが強い。東京の夏の暑さの比ではない。街並みは似ているのに。たぶん、似ているからこそ強烈に感じるのかもしれない。暑さに弱いので、その日のうちに熱中症になりかけてしまった。サイン会を行う台北の書店「Mangasick（マンガシック）」に向かう途中で、視界が狭くなって立ち止まる。水を飲む。Mangasick の前には、開演一時間前だというのにすでにサイン会に来てくれた人たちが炎天下で並んでいて、彼らは熱中症にならないのか心配になった。血の気が引いた顔でサイン会開始まで休憩させてもらう。この暑さを乗り越えれば東京の夏にも応用できるのではないかと思ったので、いくつか台湾の人々から学んだことをメモしておく。

・日傘　帽子をかぶっている人より日傘が多い。たぶん帽子は蒸れて暑くなってしまうからかも。みな軽い晴雨兼用のものをデイパックの横に入れている。取材期間中は雨が一切降らなかったので、私は東京でいつも使っている日傘をずっとさしていた。内側が黒いと目に優しい。

・飲み物　持ち手つきのタンブラーや水筒を、片手にぶら下げている人が多い。バッグの中にしまい込んでしまうと飲まないので、手に持つのが一番良いのだろう。テイクアウトの飲み物の量が多い。スタバのグランデサイズが通常サイズ。たくさん飲めるし割安な印象がある。

・給水　台湾では、駅やお寺、美術館など公共性の高い施設に給水スポットがある。水筒を持っていれば、無料で利用することができる。おかげでほとんどペットボトル飲料を買わないですんだ。

・服装　男女ともに年代問わずTシャツにショートパンツ、サンダルが多い。学生など若い女性はおなかが出る短い丈のトップス。これは流行もあるけど、絶対に涼しい。通勤時間でも、いわゆるスーツなどのバリッとした格好の人は少なく、オフィスカジュアル程度の格好。

・外出　台湾の中でも都会の台北は日中も人が行き来していたが、台中、台南の日中は暑すぎて人が外にいない！　歩いているのは観光客くらいか。そりゃ自分も東京にいるときは夏の昼間はできるだけ外出しない。誰もいない白昼を歩くのは間抜けだけど、旅行中だから仕方ない……。

・アーケード　台湾の商店街は屋根つきで、アーケードのようになっている。この下を歩くと日差しからは逃れることができる。ただ、お店が文字通り「店を広げている」場合が多く、通りづらい。さらに繁華街では、駐車された原付バイクで半分以上塞がれている。

そして台湾で私が対策したこと。

・サングラス　日差しが強いので必須。これなしでは台南はすべてが白っぽく見える。東京に戻ってからも愛用している。余談になるけど、私は「小柄で地味な女性モブ」という属性ゆえかイラついている人のはけ口にされがちで、よく街中で知らない人に暴言を吐かれたり、故意にぶつかられてぶっ飛ばされたりしがちなのだが、サングラスをかけるようになってからはそういった変な人に絡まれることがなくなった。（台湾にはそういう横暴な人が一切いなかったのもありがたかった）

・速乾性のある衣服　汗がすぐ乾くように、山用の速乾性のあるメッシュのアンダーウェアを着た。これは大正解だった。外に出て数分で汗が噴き出すので、綿製だったら身体が冷えていたと思う。ホテルで洗濯しても乾きやすい。

・アームカバー　日よけのために綿の長袖ブラウスを着ていたのだけど、暑すぎて熱中症になりかけた。次の日からは半袖に山用のアームカバーをつけることに。屋内では外せばいいので便利。（暑すぎてファッション性は捨てた）。台湾の人たちはバイクに乗ることが多いので、風よけもかねてユニクロのエアリズムのUVパーカーみたいな化繊の羽織が支持されている。

・睡眠時間をちゃんと取る　夜中にホテルで仕事をしたかったけど、日中の暑さで疲れているので七時間以上は必ず寝るようにした。そのぶん電車の中でネームを作ることに。気づけば周りの乗客に見られまくっていた。

・休憩　体力がないほうなので、疲れたな……と思う前に休憩する。カフェやかき氷屋などに入る。いつも同行の編集氏には休みすぎだと言われる。もちろん取材中だからこっちは楽しい旅行ではなく仕事をしているつもりなのである。気が張っていて、休まないと頭もショートしてしまう。毎年何回も熱中症になったりなりかけているので、とにかく日よけ・水分補給・塩飴・疲れないことを念頭に過ごした。なんとか乗り切れた。でも帰国した翌日、気が抜けたのか熱中症になった。

買い物は楽しい

MangasickのKさんとUさんが台北を案内してくれるというので、行きたかった迪化街（ディーホアジェ）に連れて行ってもらう。よく雑誌の台湾特集などでも紹介される問屋街だ。

高建桶店で小さいかごバッグと漁網製の水筒入れを買う。ふだんリアル店舗で買い物をするということ自体が少ないので、楽しい！　衝動買いしたバッグはすぐに旅行中のサブバッグとして活躍した。水筒入れも一リットルの水筒を持ち運ぶのに使っている。帰国してから気づいたが、このバッグはよく見かけるMARNIのかごバッグと色もサイズも素材もほぼ同じなのであった。値段は二桁違うはずだけど。

迪化街は問屋街なので、乾物やお茶、漢方薬などいろいろな店が並んでいる。たまに北海道産の昆布とか、日本のものに出合うとちょっと嬉しくなる。レトロな建築もかわいい。観光地になっているとはいえ、品物は基本的には問屋の卸値のはずなので多少は安いはずだ。もっと時間とスーツケースに余裕があったら山のように買い物してしまったかもしれない。道すがらに編集氏が大量の鉄観音茶とジャスミン茶を買い込んだので、半分ずつ分けることに。半分にしても大量で、帰国後に毎日飲んでもまったく減らない。おまけに中国茶はお湯を足せば何度も煎れられる。大変お得なのである。「TRAVEL BUDDY」という茶こしつき水筒も買ったので、せっせとこれに入れて飲んでいる。

街歩きで暑さにバテていたら、姚徳和 青草号に案内してくれた。MangasickのUさんがおすすめしてくれた青草茶をいただく。Uさんは南部の出身だから、台北の暑さなんて何も感じないらしい。「今日マチ子っぽいのを選んだ」というかわいい古着のワンピースで楽しそうに歩いている。大きいリュックにカメラをぶら下げて、サングラスにアームカバーで怪しさ満点の汗だく本物の今日マチ子とは大違いである。羨ましい……。

青草茶は、飲んだ瞬間に胸がスーッする。一瞬で汗が引く感じに驚く。たぶんミント系の葉っぱが入っているのと、少し砂糖が足されているせいか、ただのお茶ではないかんじ。生き返るとはこのことか。お土産に店のオリジナルブレンドの青草茶ティーバッグを買ったけど、この青草茶が日本では入手困難だということに気づくのは日本に戻った後なのだった。やかんで麦茶を煮出す要領で、つい砂糖を入れるのを避けてしまったのだが、台湾式に倣って砂糖を入れて冷やしたほうが夏の暑い日にはおいしく感じる。台湾のコンビニで売っているペットボトルの青草茶も、加糖のものしか見つけられなかった。

東京は台北に負けない猛暑になってしまい、青草茶なしでは生きていけない。もっと買っておけば良かった。なんなら青草茶を買うために台湾日帰りできないかと本気で画策している。台北にこれから行く人には、ぜひともお土産に青草茶をリクエストしたい。

最後にはMangasickの二人の本領、本屋巡りへ。詩集の専門店や、ZINEを取り扱う店、小さくて気の利いた本屋さんを何件もまわる。日本で人気の本もたくさん翻訳版で並んでいた。万葉集も読まれていた。どの店も工夫を凝らして長く滞在してもいいような心地良さがある。椅子があったり、雑貨を置いていたり。古い建物に、新しくて小さいお店がたくさん入居している。Uさん曰く、「このあたりは原宿のキャットストリートみたいなところ」だそう。

最後に案内してもらった人文・社会系の書店さんが自分の読みたい本だらけで興奮する。カフェも併設されていて、ノートパソコンを持ち込んでいる人もいる。永遠に滞在できそう。Mangasick のKさんが、掘り出し物の本を見せてくれる。昔の朝日新聞の写真雑誌「台湾」。日本語だ！ ほしい……。

「私が買います！」と言いかけて、すでにKさんが購入したことを知る。目の前で手に入らないと悔しいもので、その後の日程もずっとほしい、ほしいと考え続けたら、最後、台南の「戦争と和平記念公園主題館」で発見し、入手できた。同時に『大東亜戦争と台湾青年』という本も買えた。大満足である。

Kさんと私のほしいものが被る理由は、Mangasick に行けばわかると思う。台湾であることを忘れるくらい「日本のちょっとマニアックな漫画をそろえている」書店だ。私の漫画に少しでも興味を持ってくださっているなら、ぜひ覗いてみてほしい。きっと気に入る作品が見つかるはず。

嬉しいのは、学生を中心とした若い人たちがひっきりなしに来店していたこと。メジャーではない作品をしっかりと受け止めてくれる人たちがいることが心強い。靴を脱いであがる隠れ家みたいな漫画基地。流れている音楽も日本の通好みのものだった。

台中

台北市内の移動は地下鉄だったが、台北から台中への移動は台湾高速鐵道を利用した。ほぼ新幹線のようなものだ。巨大な台北駅で車内で食べる軽食を買う。「パンダまん」にしてみた。昼時だったので、ホームにいる人たちもそれぞれ食べ物を持っている。ビジネスマン風の男性がぶら下げている円形の駅弁がおいしそうだった。焼き肉丼みたいなお弁当だった。

一時間ほどで台中に到着。南下しているので、ちょっと暑くなったような気もするが、台北ほどの大都会ではないので雰囲気が涼やかだ。日差しはかなりきつい。駅を出るとすぐに日傘を差すことになった。現駅舎は近代的だが、旧駅舎も公開されていて、見学することができる。懐かしの有人改札だ。

台中は、仙台みたいなイメージを持っていただければいいと思う。文化も生活も充実した地方都市だ。近代的なタワマンが建ち並んでいて、台中国立歌劇院もある。台北のすべてが詰め込まれたごちゃごちゃした感じも楽しいけれど、静かに住むなら美しく整備された台中がいいなあと思った。冷房の効いたキレイなマンションで作家生活を送る。午前は原稿を描いて、午後は美術館に行ったり、観劇をする。たまに台北へ仕事の打ち合わせに行く、というのが理想だ。

普段、日本で仕事をしているときは部屋に引きこもってしまう。スーパーに行くのも、通りの向かいのポストに投函するのも億劫になる。だから、物件を選ぶときには、高層階は避けている。エレベーターを使わないですむ高さ。さっさと外に出るような環境に身を置かないと、永遠に外出しなくなるからだ。ただでさえ暑い台中でタワマン高層階に住んでしまったら、二度と外気に触れることがなくなるような気もする。

駅からすぐ、有名な宮原眼科にも立ち寄る。一階はおしゃれな菓子売り場だ。おしゃれすぎて旅情に欠ける気がするくらい、凝ったグラフィックのパッケージだ。観光客でごった返しているが、二階は静かだ。ここで食事ができる。おやつにパフェとお茶をいただいた。至福のひととき。

夜は全く雰囲気の違う店へ。すぐ近くだけど急に下町の路地のような場所にある台湾陳沙茶火鍋。陽気な店員さんの店だ。日本人とわかると、突然「赤とんぼ」を歌ってくれた。しかし続きを促されたので、カラオケ嫌いな私はかなり恥ずかしい思いをしながら歌った。さらには、店内にいた別の日本人客を引っ張ってきて、「日本人!」と紹介してくれた。おたがいに初対面なので苦笑しかない。向こうが気を利かせてくれて、「この店、かなり量が多いから!」と教えてくれた。でもおいしかったし、店員さんとのやりとりは楽しかった。いつか台中を再訪するときは、また食べに行きたい。

明日の朝は軽めでいいや、と思って、ホテルの近くのファミリーマートで豆乳とヨーグルトだけ買い部屋に戻った。

学生たちと湿地、そして諦め

台中からバスに乗って郊外の高美湿地を見に行くことにした。街中の写真ばかりではつまらないので、バリエーションをつけようと思ったのだ。長い乗車の途中、いくつも大学が並ぶ文教地区を通る。バス停からたくさんの若者たちが乗ってきた。たぶん大学生。彼らも湿地に行くらしい。

バスから降りると、大学生たちも降りた。海に向かって、巨大な風車がいくつもゴウゴウと回っていた。建物にはサギの絵が描いてある。風が強いので日傘も帽子も飛ばされそうだ。橋の上からのぞき込むと、干潟の中で無数のカニが動いているのが確認できた。湿地まで二〇分ほど歩く。みな同じものを目指しているから、幅の狭い歩道ではどうしても自分が大学生の列の中に混ざってしまう。申し訳ない。彼らの流れから出ようと身体をよじらせながら、サークルの仲間たちなのかなあ、それともゼミ仲間か、などいろいろ想像していた。とても真面目そうな学生さんたちだった。十人くらいの女子と、男子が二人。誰も大きな声を上げたりも悪ふざけもせず、みな和やかに談笑しながら歩いて行く。絵に描いたような理想の大学生である。

高美湿地は日が沈むときに行くと、まるでウユニ塩湖のように自分の姿が水面に映り、インスタ映えのする風景が見えるらしい。だからみな夕暮れの中を歩いて行く。湿った海風と、夏の草原の匂いと、学生たちのさざめきと。インスタ映えのする風景なんかより、この瞬間そのものが永遠だ。

湿地に到着すると、人でごった返していた。保護のための木道を歩いて、干潟の先まで行く。そこからは、みな靴を脱いで干潟に下りているが、同行の編集氏には「バスに乗るにはすぐ引き返さなければならない」と念を押されているので、眺めるだけにする。夏休みの海水浴気分でやって来た家族連れもいるし、動画撮影にいそしむ人もいる。日没の瞬間を狙ってカメラの調整に精を出す彼氏と、暇を持て余してスマホをのぞき込んでいる彼女もいた。

遠くに先ほどの風車が見える。あそこまで戻って次のバスに乗らないといけないので、日没を待たずに湿地を離れることにした。まあ、映え写真などはSNS上でいくらでも見ることができるから自分が撮影することにこだわることはない。絵でも描けるしね。

急ぎ足で戻ろうとすると、さっきの学生たちがニコニコしながら湿地の入り口にいた。飲み物を飲んだり、休憩したり、誰かがトイレに行ったのを待っているようでもあった。彼らの後ろに、もう夕焼け色になった空と、湿地が広がっていた。そんなことにも気づかないで、穏やかになんでもない瞬間をすごしているのが美しかった。

すっかり暗くなった街を、バスで帰って行く。台中駅のターミナルに近づくにつれ、さっきまで海にいたのが幻のように思えるほどの都会の風景になった。はっと、宿泊ホテルのカードキーをなくしたかもしれないと気づいて、荷物をひっくり返して探す。なかなか見つからず、冷や汗が出てくる。明かりの少ない車内、ゴソゴソと落ち着きのないのは私だけで、退勤者ばかりの車内はしんとしていた。

二駅ぶんくらい心臓が縮むような気持ちが続いて、ようやくポケットのひとつからカードキーを発見した。私の探し物の多さに呆れた編集氏から、リュックのポケットが多すぎるせいではないかと諌められたが、ポケットが少なすぎるとそれこそ何がどこに入っているのか混乱してわからなくなるのではないか。いやでもどのポケットに入れたかを忘れては意味がないよなあ。ホテルのカードキー専用ポケットを作ったらいいのか、でもでもカード類はカード入れにまとめたいし……。

思考が散らばり始めて、整理するのを放棄した。脱いだ帽子にカーディガン、捨てそびれたペットボトルと一緒にポケット問題もリュックに詰め込む。いつの間にかさっきの学生たちが乗ってきた大学前を通過していた。いまごろ彼らは、湿地をあとにして、のんびり帰路についた頃だろうか。

自分の学生時代もこんな瞬間があった……ということは覚えているのだけど、いろんな記憶がごちゃまぜになっていて、ぼんやりとしか思い出せない。たぶん、若者はふらりと出かけるのだ。大人みたいに綿密に計画して「ここに行く」という気負いがないからかもしれない。

いつも大きな連載が終わるたびに考えるけど、ずっと大学院で学びたいなあと思っている。学生を見ると、学びを第一に生きている姿がうらやましい。現実問題として、いまの自分は学んだり本を読む時間を捻出するのにも苦労している。怠惰に過ごしているわけではないと思う。むりやり早起きしたり、一〇分間の徒歩時間で学習したり、五分くらいの待ち時間で本を読んだりとせせこましい。いまは学生に戻る時期ではないのだろう。やるべきことをやって、目の前のものから学ぶしかない。そのかわり、漫画や絵を描く時間はたっぷりある。

何かを諦めて、でも、一番大切なものは潤沢にある。

台南

台中から台南への移動。間違えて乗車券とは別に特急券が必要な電車に乗ってしまう。乗った途端に、「あれ？　これは違う？」と気づくが、もう発車しているのだった。とりあえず空いている席に座るも、すぐに本来の乗客が来て退出する。デッキで車掌さんに事情を伝えて、特急券を買う。焦った……。

逆に、先日は栃木へ向かう特急の中で、同じように焦っている乗客がいた。北千住から春日部へ行くのに、「速い電車がある！」と思って乗ったら豪華特急の「スペーシアX」だったのだ。中国から来た男性だった。「え？　これどこ行くの？　お金がいるの？」と混乱している。数カ月前の台湾での自分の姿が重なった。私の同行者が英語で説明して、事なきを得た。ついでに持っていた「スペーシアX」のピンバッジもプレゼントしたのだった。

外国でなくても特急は間違いやすい。たまに、「特急料金のいらない特急っぽい電車」もいたりするし、紛らわしい。スマホに「あなたはいま特急に乗ろうとしています」など、通知を入れてほしいくらいだ。

一騒動あったが、無事に台南へ到着。やはり暑い。駅前の気温表示が三十八度になっている。

駅周辺は昔の建物が多い。日本が統治していた時代のレンガ造りの建物がたくさんある。古いけど美しい街だ。ただ、七月の台南はものすごく暑い。観光客が多いと聞いていたけど、暑すぎて、あまり人が歩いていない。

神農街、台南市美術館一館をまわってから、孔子廟へ。受験生とおぼしき女性二人が、絵馬をかけていた。台湾の合格祈願は、結構具体的なものが多い。絵馬に志望の大学名を書くのは日本でもあるけれど、お参りの場所に学生証の写しや、履歴書、学生手帳なんかを奉納している。個人情報が漏れるんじゃないか、とちょっと心配になるけど、ハイテク国家台湾だから、そのあたりはうまくテクノロジーでカバーしているのかもしれない。

孔子廟を見学していると、頭上をバリバリと音を立てながら軍用機が飛んでいった。体験したことのない大きな音だったので、とても怖かったのだけど、地元の人たちは気にしていないようだった。裏の小学校も子どもたちが普通に遊んでいる。これが日常なのだろう。また穏やかな世界に戻る。公園にはリスがたくさん住んでいた。

さらに進んで、水交社文化園区へ。昔の建物が残っている。日本式宿舎群を外から見学する。日本風だけど洋風でもあり、台湾っぽさもある。いずれにせよ立派な屋敷だ。近代建築が好きなので、角度を変えて何枚も写真を撮る。時間が遅かったので中の見学はできなかったのだけど、この建物の前で遊んでいる親子がいて、その光景がとても良かった。夕焼けの光の中で、ボールを投げ合っている。縄跳びの練習をする。そして後ろにはピカピカに新しい高層マンション。たぶんそこの住人だろう。ノスタルジーと最先端の中で生きているのは、とても台南らしいなと思った。

鍵をなくす

普段、なくし物が多い、というかものすごく忘れっぽい。

大学の入学試験の直前にデッサンや絵づくりの大事なことをまとめたノートを紛失したこともあるし、作品を電車に置き忘れてきたこともある。あまりによく忘れるので、周囲の人に注意される。自分なりにチェックリストを作ったり、忘れ物チェッカーを取り入れたりと気をつけてはいるのだけど、形あるモノなんていつかなくなるものだ、と心の底で思っているから、いっこうに治る気配がない。借りた一眼レフも電車でなくした。これは他人のものだから、さすがに平謝りしかなかった。当時、夜中も起きていて、昼間も動きまわっていたから、電車に乗るとすぐに眠くなってしまって一瞬でカメラのことを忘れた。ホームに降りてからカメラがないことに気づいたのだった。

ロシアに行ったときは、帰りの空港に向かうバスの中にカメラを置いてきた。飛行機に乗り遅れそうだし、ロシア語でバス会社に連絡するなど到底無理だったので諦めるしかない。カメラ本体も気に入っているものだったから残念ではあったのだけど、誰かが使ってくれたらいいかなと自分に言い聞かせた。それよりも、旅の一週間分のすべての写真データがなくなったことに本当にがっかりした。同行者にお願いして少し写真をもらったりしたけど、同じものを見ているようで視点が違う。私は写真を画業のために撮っているから、ただ人が並んでいるだけの記念写真などは不要なのだ。

かくしてロシア旅行は、あらゆる場所の記憶がごちゃごちゃになり、断片的なイメージばかりが残った。雪の屋外にいたモフモフの猫とか、大量のイコン、寺院の見学で他人のお葬式に遭遇してしまい気まずかったこと、神学校の人たち、季節があっという間に秋から冬になる瞬間、農家の前で座っているおばあさんなど。写真がないから絵に描くことはないだろうけど、頭の中にはまだイメージが残っている。

テキストで残しておくという方法があるな、と、いまになって気づいた。記録する、というより、この雑多なイメージをメモすることくらいしかできないけど。一度はカメラを向けた風景なのである。頭の中でいったん絵になってから、ぼやぼやと水に溶け出しているような感じだ。この現象を私はわりと気に入っていて、正しいとされる記録と、自分の中で醸成されていく記憶のふたつが混じり合うことをよく作品のテーマに取り入れている。

もちろんこれだけ紛失物が多いと完全になくすものもあれば、運良く戻ってくるものもある。遺失物センターで財布が見つかったことは何度もあるし、スマホを忘れるといつも誰かが後ろから追いかけて来てくれる。人の親切で生かされている。

そんなときに登場したのが「AirTag」である。常日頃の忘れ物の多さから、今回の台湾行きはカメラやスーツケース、手荷物にはすべてAirTagをつけた。しかしAirTag本体をなくしたために「見つからないAirTag」と名づけられたクラウド上のAirTagもいる。それ以外にもメモしたり、できるだけ目立つ色のものを持ったり、紐でぶら下げたり対策をしているのだけど、旅行中もずっと忘れたりなくしたりしていた。あまりに多すぎて、何を忘れたのかを忘れた。

台南で利用したホテルのチェックアウト時、部屋の鍵がどうしても見つからない。フロントでスーツケースを空けて洗濯物の山をさらったりしたけど、ない。部屋に戻って、清掃している方に事情を伝えて探す。一緒にゴミをあさってくれた。本当にすみません……。ありがとうございます。他人と一緒に自分のゴミを見るのはなかなか恥ずかしいものだな、と関係ないところで反省した。それでもないのでフロントに戻り、意を決して「鍵をなくした」と伝える。結局、鍵はそこにあった。昨夜、鍵をドアの外に差したまま寝てしまって、それをホテルのスタッフが回収してくれていたらしい。

あまりの忘れっぽさに自分でも呆れるけど、モノならまだいい。自分の名前もすぐには思い出せなかったりすることもある。問題は人や出来事を忘れてしまうことだ。覚えていないことで相手を怒らせてしまうことが多々ある。本当に覚えていない、と正直に言うと、「あなたにとって私はその程度の重要度でしかないのか」とますます火に油を注ぐことになる。とにかく片っ端からメモするくらいしかないのだが、記憶しようとがんばって頭を使うと、その事実が変容してしまい、何が本当で、何が自分が作り出した幻影なのかわからなくなる。鍵を見つけても、すでに鍵穴が溶けてしまっているのだ。

高雄

台南から高雄へ移動する。最後の目的地だ。蓮池潭へ行ってみる。一番有名な虎と龍（龍虎塔）は、工事中だった。湖にさまざまな塔があって、龍に乗った観音様や、北極玄帝などもいて、いちいちド派手だ。脇にはミニ遊園地もあったり、カラオケ会場もある。ちょっとした行楽地だ。朝から青空カラオケで気持ち良さそうに歌う人たちを見ていると、台湾本来の明るくておおらかな気質を感じる。南の国らしい。塔の本体である寺は、通りを挟んだ向かいにある。こちらは塔に比べると地味だけど、真面目な空間。お参りする人たちがたくさんいる。無料の給水器で水をもらった。台湾は無料の給水器があちこちにある。そのおかげで水筒一本あればペットボトルを買う必要もなかったのがありがたい。

三牛牛肉麵という店で昼御飯を食べる。牛肉麵。外から見るとはたして営業しているのか不安な店だったが、中に入ってみると、観光客で満員の大繁盛店だった。食堂形式で、メインをオーダーしながら、おかずをショーケースから取る。混んでいるから翻訳をかけずに手当たり次第に小鉢を取る。一体これがなんなのかわからないが、何を食べてもおいしい。

足をケガする

「戰爭與和平紀念公園主題館（戦争と和平記念公園主題館）」へ行くために、フェリーを使う。連日快晴、旅の初日からずっと暑い。朝の気温が三十七度だったから、昼間は四〇度近いかもしれない。ずっと使っていた愛用のカメラがここでついに壊れた。

カメラが熱くなりすぎて、中からギコギコという音までしてきて、ついに動かなくなった。気温とカメラの動作が関係あるのかわからないけど、明らかにダメージのひとつであることには間違いないだろう。しかしこれから撮影するというタイミングで壊れるとは。船の上で絶望である。

フェリー着き場からは、みな自転車に乗り換えていく。夏休みに入った台湾の人々の、ちょっとしたリゾート兼公園のような場所なのだ。カメラが壊れただけでもへこんでいるのに、レジャーに来ているわけではないので自転車を漕ぐテンションはない。タクシーで主題館まで行くことにする。

タクシーから降りた瞬間、地面に落としていた視野が消えた。ぐるん、と青空が回ったのが見えて、両手の荷物が飛んでいった。気づいたら道路の端にうずくまっているようだった。左足がものすごく痛い。捻挫だろうか、骨折したときよりはマシかも、と思う。幸い、一〇分くらいしたらなんとか立ち上がれたので、足を引きずりながら主題館へ入った。とても小さな展示館だが、ぎっしりと文字が詰まっている。歴史の中で翻弄された台湾と戦争の近代史を学ぶことができる。

台北でのサイン会で、若い人たちにとっても戦争というものが日本よりもはるかに身近な様子を見た。台湾の歴史を知れば、それも納得できるものがある。台北の本屋で見かけてMangasickのKさんが先手で買った本をここで見つけて買った。もうひとつ行きたかった場所、労働女性記念公園は、さっきタクシーの車窓から見えたので、訪れることを諦める。

先を行く編集氏を必死で追いかけながらバス停へ行く。左足が痛すぎて少し涙が出る。ほこりまみれのマイクロバスみたいなバスが来て、ますます不安になる。台湾の交通系ICカード「悠遊カード」が使えて、ちゃんとした路線バスであることがわかった。ガタガタ揺れる座席に座って、松葉杖をどこかで買うことができないかずっと考えていた。登山のストックでもいい。ただの長い木の棒でもいい。しかし旅先でそんな店など探し当てられるはずもなく、結局宿に戻ってきた。スーツケースの中にあった肩懲り用の湿布を貼って、五パーセントくらい楽になった。荷造りした過去の自分にこれほど感謝したことはない。

同行してくれている編集氏は、「骨折ではなさそうで安心しました。でも台湾の病院に行くことになったほうがネタになりましたね」と言っていた。この人は台湾に行く前も「このまま飛行機が墜落して死んだら伝説になりますよ」など、不穏なことばかり言ってくる。私のネタが尽きたら何をするかわからない。今後もアイデアを途絶えさせぬようひねり出していこうと思う。

十六時過ぎには、高雄の鶏肉飯（ジーローハン）屋に行ってみた。有名店らしく、夕食には早い時間帯でもひっきりなしに人が入ってくる。客の半分は観光客のようだ。通常サイズの丼もあるが、小ぶりの丼があるので、おやつにもなる。そのあと、マンゴーのかき氷を食べる。ケガしてもなお台湾でおいしいものを食べたいという欲はあるのだった。店内の階段を何分もかけて登るくらい痛みは限界ではあったけど、鶏肉飯もマンゴーかき氷もどちらもおいしかったのは覚えている。

この店の近所には日本風かき氷を出す店もあり、台湾の若者でいっぱいだった。デートで使うおしゃれな店のようである。台湾かき氷が日本で人気なように、日本風かき氷も台湾の人には珍しくて素敵な食べ物なのかもしれない。「これでもか！」とフルーツが盛られたサービス精神旺盛な台湾かき氷に比べると、シロップしかかけていない日式かき氷は大変地味だ。一瞬で食べ終わってしまう。「これだけ？」と思われるんだろうなあ。

儚い涼を風流と受け取って貰えたらいいな。

足は一ヵ月経っても痛いままで、毎週リハビリに通うことになった。ただの捻挫だと自己診断して、帰国後の忙しさにかまけて放置していたのが悔やまれる。もっと早く病院に行けば良かった。数ヵ月後のいまも痛い。帰国前日だったのが不幸中の幸いだったかもしれない。日頃の運動不足と、体力のなさが露呈したというところだろう。そして足の痛さもあって、戦争と和平記念公園主題館の印象はとても強く残った。身体とともに歴史の傷みを感じることができたのは良かったと思う。

歴史の中に閉じ込められた人々に思いを馳せながら、最後に海を眺める。苦しい歴史を刻んでも、南の海はただただ美しい。何度も作品取材で訪れた沖縄とも通じる。

Kyo Machiko

台湾・台北：

駅の広場で遊ぶ　Playing in the station square.

kyo Machiko

台湾・台北：

店内よく冷えてます The restaurant is well air-conditioned.

kyo Machiko

台湾・台北：

地下鉄と野菜　Subway and Vegetables.

kyo Machiko

台湾・台北：

夏休み初日の小学生　Elementary school students on the first day of summer vacation.

台北のアーケードの中で見かけた小学生。父親が運転するバイクの後ろに乗ってやってきた。父が右手の店で朝食を買っている間、スマホでゲームしている。歩道に座り込んでいるけど、人通りもまだまばらだから誰も気にしない。この日、小学校は夏休み初日らしい。満喫しているなあ。台北はバイク移動する人が多く、親子二人乗りは普通だし、三人乗りもよく見かける。排気ガスが気になるので、外でもマスクをしている人が多い。

台湾・台北：

夏休み二日目　Second day of summer vacation.

台湾・台中：

少し遠出するデート　A date to go a little farther.

台湾・台中：

美術館に来た子どもたち　Children at the museum.

kyu Machiko

台湾・台中：

魚が泳いでるよ　Look, there's a fish swimming...

台湾・台中：

海へ向かう大学生たち　College students heading to sea.

kyo Machiko

台湾・台南：

宿の犬　Dog at the inn.

私がスーツケースをひっくり返して鍵を探しているのを、ずっと心配してくれたホテルの犬。いぶかしがって吠えるかな、と心配したけど、とても親切な犬だった。鼻をクンクンさせながら、一緒に探してくれた。ありがとう。

台湾・台南：

合格祈願　Prayers for success.

台湾・台南：

台南駅発車を見送る　Watching the train depart from Tainan Station.

Kyo Machiko

台湾・台南：

遠足で行った場所　A place you used to go on field trips.

台湾：台南：

台南駅発車　Departure from Tainan Station

台湾・高雄：

鶏肉飯の店　Chicken rice restaurant.

台湾・高雄：

I HATE MONDAY.

伊勢旅

伊勢ふたたび

十月の初旬、伊勢へ行ってきた。旅行というより制作のための取材というのが正しいところだけど、暑さもようやくおさまって、とても歩きやすく快適な旅だった。伊勢に行くのは今回で二度目だ。

伊勢市の「クリエイターズ・ワーケーション」に選出されたのは二〇二〇年。コロナ禍で旅行というものが容易にできなくなっていた時期、久しぶりの遠出だった。特に成果物を要求されるのでもなく、ただ伊勢市に滞在して、普段の制作をしてくれればいい、というものであった。伊勢市がどうかしてしまったのかと思えるくらい、あまりにも有り難すぎる条件だ。

私はといえば、伊勢とのつながりはなく、大昔に隣の鳥羽市の水族館に行ったついでに伊勢神宮を訪れたことがあるくらいである。正直にいうと、鳥羽の秘宝館が閉館するというので訪ねて行き、館長さんにコーヒーをいただいたのが本当のところで、そのついでに水族館に行き、さらにそのついでに伊勢神宮へ立ち寄ったのだった（順番が完全におかしいのは承知している）。なので伊勢への思い入れは当時は申し訳ないくらいなかった。とはいえ十一月の伊勢に一週間滞在できるのだから、今後の制作に活かさない手はない。毎日出歩いて、ひたすら資料写真を撮った。

いま思えば二〇二〇年はコロナ禍で疲弊していた心身を休めるべく、ここぞとばかりにダラダラしても良かったかもしれない。何もしていないように見える時間が作家にとっては自由に思考を巡らせるために大事だし、そうすることが明日の制作への活力になるという部分も当然ある。それなのに目の前のステージでせっせとコインを集めまくるのが私の性分なのだった。早朝から日暮れまで、足が痛くなるまで歩きまくった記憶しかない。

その中で、同じく「クリエイターズ・ワーケーション」に参加していたほかの作家さんたちと仲良くなったりしたのがいい思い出になっている。日頃、ひとりで作業することが多いし、創作を生業とする人に日常生活で出会うことは滅多にないのだが、「作る」ことを人生の中心に据えている人たちと話すのはやはり楽しい。楽しいというより、安心感がある。もちろん作り出すものは全く違う。でも、それくらいがちょうどいい。コロナ禍で「エッセンシャルではない人」と分類されてしまったこともあり、仲間に出会えることはとても心強かったのである。日常生活まで作家同士でつるむ、というのは個人的にはあまり好きではないのだけど、こういう旅先で、特に主張するでもなく一緒にご飯を食べたり、道ばたで手を振り合ったりするのはちょうど良い距離感だった。

結局、縁もゆかりもない伊勢が大好きになって帰ってきた。「#stayhome日記シリーズ」の絵日記にも伊勢市の絵をたくさん描いた。恩返しをせねばと思い立ち、ふるさと納税までしたのである。「クリエイターズ・ワーケーション」を実施した伊勢市の思惑通りであるかもしれない。

そして二〇二三年、また伊勢を訪れた。コロナ禍の伊勢と、コロナ後の伊勢を比べてみようという目論見である。宿泊先も同じにした。三年前と同じように写真を撮りまくった。三年前と違うところは、マスクをしている人がほとんどいなくなったこと、観光客が少し増えたこと……。そんな当たり前のことから、駅前の塾にたくさんの生徒がいたこと、シーパラダイスのセイウチのショーの内容が触れ合いメインに変わったこと、いくつかの古い建物がなくなっていたこと。いろいろ発見もあった。

神宮徴古館から山を下りてきて、宇治山田駅へ向から途中、雨がぱらついていたので、この日は屋内の見学をメインにしようということに。午前中は河崎の街並みを見て、午後から神宮徴古館や農業館を見学した。伊勢神宮と比べると、このあたりはほとんど観光客がいなかった。

神宮徴古館はベルサイユ宮殿を模して設計したとのことで、たしかに荘厳な雰囲気だ。ただ、あまりにも立派なので、前日に通りがかったものの山中に突然現れた威容に「私のようなものがおいそれと入るところではない」と気圧されてしまい、いったんはスルーしてしまった。自分たちのほかに見学者がいなかったのも一因である。賑わっている場所からここまで少し距離があるので、気軽に訪れる人が少ないのだろう。近くに大学や高校もあるけど、駅に行く道とは違うからこちらには歩いてこない。緑が濃くて、静かだ。

改めて入ってみると、貴重な資料がたくさん陳列されていてとても面白かった。伊勢神宮の模型もあり、自分たちが見学したのがほんのわずかな部分であったことがよくわかる。神様は私たちが考えているよりも奥のさらに奥にいるのだ。農業館も良かった。博物館の剥製展示などが大好きな人には特に おすすめしたい。蝋細工の植物模型も必見である。

この中にあった養蚕の模型が、『cocoon』（秋田書店）を描くときに考えていた「蚕の模型」そのもので驚いた。描くときに何かの写真を参考にしたのか、自分で思い描いたのか定かではないけど、「本物はここにあったのか！」という思いである。夢で見た場所に現実で行き着いたような驚き。不思議なことがあるものだ。

宇治山田駅は国の登録有形文化財だ。非常に立派な駅舎なので、ぜひ見学してみてほしい。構内にある伊勢名物のショーケースにある、「パールだるま」が気になっている。男女の人形に真珠をびっしり埋め込んだものだ。平成時代はけっこう見かけた気がするのだけど、いまやデッドストックしかないというレトロな土産物だ。実際に売っているのもほとんど見かけない。気をつけて探しているけど、二見の古い土産店で発見したのみ。

そして宇治山田駅の横には有名な「まんぷく食堂」がある。毎回タイミングが合わずに唐揚げ丼を味わうことができずにいる。食べきれるのかが心配だけど。

歩くこと、希望としてのモータリゼーション

いつも歩きながら取材をしている。車の運転が苦手なのだ。下手というより、乗っている間じゅう判断し続けなければいけないのが怖い。即座に判断する力が弱いのだろう。だからもうずいぶん昔に運転することをやめた。自転車も、交通量の多い都内で交通ルールが徹底されていないのが嫌になり、乗るのをやめた。生活の中心は歩くことだ。車と自転車を使わないで、歩くだけで事足りるように住む場所を決めているといってもいい。

台湾でも一日二万歩くらい歩いたのだけど、伊勢ではその記録を軽く更新していた。三万歩を超えたのだ。台湾はとにかく暑くて、歩いては休憩する、というような様子だったので、二万歩歩いただけでも登山をした日のような疲れ方をしていた。体感的には五万歩くらいだ。伊勢は十月と気候も良かったので、楽に歩けた。気づいたときには三万歩になっていた。街並みの取材であれば自転車でもいいのではと言われることもあるのだけど、自転車だと点から点への移動でしかない。移動中は風景を楽しむことはできても、立ち止まることはけっこう面倒だ。そして気になる風景を見過ごしてしまう。断然、徒歩派なのである。

そんなわけでひたすら伊勢市内を歩いて取材していたが、最終日はご厚意によって車で移動

した。伊勢市駅前から山を越えて二見の海沿いまで行くルートである。昨日まで徒歩で三十分かけて歩いた道のりも一瞬だ。車って、楽だな……。徒歩派といえどもこれは認めざるを得ない。あっという間に朝熊山の展望台へ。あの御木本幸吉はここに来た記念に、石碑(籠立場碑)を建てたのである。いや、来ただけで記念碑を建てるって……とツッコミどころはあるが、真珠王としては、別荘がある山上から己が真珠で制した海を見下ろすことには、自身の成功とかそこまでの苦労とか、特別の感動があったのかもしれない。当時は基本徒歩でしかアクセスできないのだけど、真珠王は籠で来たそうだ。さすがである。王たるゆえんだと思う。

展望台は風が強かった。ワンピースで来てしまったことを悔やむ。そして風のせいで体感温度は十度以下に感じた。足元にはシカの糞がたくさん落ちていたから、きっと朝早いうちに草を食みに来ていたのかもしれない。

三年前、この展望台まで登山して来たことを思い出した。近鉄鳥羽線の朝熊駅から出発して、朝熊登山鉄道のケーブルカー跡を通り、お寺を通ってから展望台に来たのだ。体力がないので、二時間くらいしか歩いていないはずだったが、息は上がりっぱなしだし、杖なしでは歩けなかった。それでも頂上までなんとかたどり着けた。頂上からバスが出ているから、そこからは楽に帰ることができると言われたから、がんばれた。モータリゼーションは希望なのだ。

しかし、その日に限ってバスは出ていなかった。休憩所でうどんを食べ終えて、機嫌良く出てきたときに教えられたのであった。絶望しかない。帰り道は意気消沈していて、ほとんど覚えていない。歩くのは慣れていても、希望が打ち砕かれるのはつらかった。

あまりにも絶望しすぎたので、それ以来、旅先では乗り物は「運が良ければ存在する」ということにして、基本は歩くことにしている。どこでも歩くことにしていると、車に乗れたときのありがたさもひとしおだ。朝熊山の展望台から二見へ抜けるとき、脇道で若いシカを見かけた。また、ニホンザルのグループが移動しているのにも遭遇した。大家族なのか、親子がたくさんいる。母親も人形のように小さいのに、その腕の中にさらに小さい子猿が抱かれている。動物園では遠くからしか見ることができないけど、車から野生のサルを見るのは全然違った。ガラス玉のような目と、精緻な顔立ち。くっきりと美しい。息をのむ。

こんな体験も、車がなければできなかったのだ。

ベン・モンゴメリ『グランマ・ゲイトウッドのロングトレイル』(訳・浜本マヤ、山と渓谷社)という本がある。道(トレイル)をひたすら歩くおばあさんの話だ。私はこの本が大好きで、その歩みのように少しずつ読み進めていた。野宿が多いけど、途中で誰かの家に泊めてもらったり、その家にいくために車に乗せてもらったりしている。この本を読むと、歩く、というもっとも地味な移動の強さを教えられるし、同時に、出会う人々による奇跡のような親切にも希望をもらうことができる。

私にとっても、車とは、突然の幸運であったり、奇跡なのかもしれない。なんだかしょぼくれたライフスタイルかもしれないけど、ひたすら歩くこと。車を日常使いにしないことで、こんな喜びもあるのだな、ということを知ってもらえれば嬉しい。

Kyo Machiko

伊勢：

宇治山田駅　Uji Yamada Station.

Kyo Machiko

伊勢：

宮川　Miyagawa.

伊勢：

桜の咲くころを想像してみる　Imagine when the cherry blossoms bloom.

宮川堤の桜の木。ここに行ったとき、橋の下でヤンキーぽい若者達が集まっていたのであった。カツアゲされたら大変なのでできるだけ遠くに離れた。でもなんだか音がする……。様子を少し上から覗き見てみることにした。どうやら先輩めいた一人が、新しいバイクをお披露目しているようだ。先輩の新車を褒める会である。河川敷をぐるぐる走り回るバイクを、後ろから後輩達がぞろぞろぞろと追いかける。次にバイクが停車する。こんどはみんなで押す。バイクの先輩VS後輩たちの相撲である。日が暮れた後も彼らはバイク追いかけっことバイク相撲をやっていた。

KyoMachiko

伊勢：

トンネル　Tunnel.

二見にある歩行者用トンネル。昼間なのに真っ暗で、ホラー映画に出てきそうな見た目だった。この隣には自動車用トンネルもあり、そちらは明るい。申し訳程度に狭い歩道がついていた。車がすごい速さで通り過ぎる危険なトンネルを壁づたいに歩くか、恐ろしげなホラーなトンネルを行くか、何秒か同行の編集氏と話し合った。結局は歩行者用ホラートンネルになった。理性の勝利である。トンネルを抜けるまで、ものすごく怖かったのは本当だけど。

伊勢：

二見　Futami.

二見のようす。夫婦岩を見る。「夫岩が大きくて、妻の岩が小さいのは問題ありませんか？」、「つながっている縄が絆ではなく束縛だとしたら……？　ジェンダー的にこういうのも問題になってきたりするんでしょうか」と編集氏が語っていた。それよりも私は、向こうから来る女性が抱いている赤ん坊の足が、不自然な方向に曲がっているのが気になっていた。赤ん坊は美しいお宮参りのドレスを着ている。フリルの施されたベビーキャップもかぶっていた。何か事情のある子なのかもしれない。振り返って見てみると、それはサルのぬいぐるみだった。

伊勢:

背負う　carry her piggyback.

これは二見の絵。トンネルを抜けたところの風景。少し湿った空気と、潮の匂い。右手が海になる。右上には赤福の看板。赤福は本当に伊勢のどこにでも看板がある。レトロな字体がいい。最近いろんなロゴがかぎりなくすっきりした文字列に変更されていくけど、赤福は永遠にあのままでいてほしいなあと思う。伊勢の色合い、というのもだんだんわかってきた。伊勢神宮の緑と木肌の色が、飲み屋街やふつうの街の中にもあるような気がしている。派手なものは褪せているような、落ち着いたトーン。でも寂しい感じもしない。

伊勢：

塩づくり、御塩殿祭（みしおどのさい） Salt Making (Mishiodonosai).

伊勢・二見の塩作りの様子。雑多な熱気渦巻く酉の市とは正反対の、静かで極限までデザインされた世界だ。でも、どちらも見えないものをを扱っている。見えないものを感じさせる、あるいは見えるようにするにはどうしたらよいのか、ずっと考えていた。

伊勢：

帰りはたぶん雨　Probably raining on the way back.

神宮徴古館から山を下りてきて、宇治山田駅へ向かう途中の風景。雨がぱらついていたので、この日は屋内の見学をメインにしようということに。午前中は河崎の街並みをみて、午後から神宮徴古館や農業館を見学した。

伊勢：

赤福本店　Akafuku Main Store.

Kyo Machiko

伊勢：

海の近くの猫　Cat near the sea.

伊勢の二見で出会った猫。猫の話を書きたくて、絵にも描いてみた。

伊勢：

体育館の横の猫　Cat next to the gymnasium.

伊勢：

2023年12月5日、雨あがり放課後　After school after the rain.

下校していく学生たちと、空き地の配置が面白かった。

伊勢：

16時01分地元の駅についた　16:01 arrived at the local train station.

伊勢：

この星をツリーの上に　This star on the tree.

伊勢：

餃子屋さん　Dumpling shop.

KyoMachiko

伊勢：

いづみさんとはなてらすちゃん　Izumi-san and Hanaterasu-chan.

伊勢のおいしい店

たまには役に立つことも書いておくことにする。おいしい店ガイドである。

電車の中で旅行案内を眺めている人を見かけて、旅といえばグルメを楽しみにしている人が多いということにいまさら気づく。いつも取材のことばかり考えているから、食べ物については後回しになっている。現地に着いてからその土地の人に教えてもらっている。同行の編集氏はだいたい次の食事をどの店でとるかを考えている。私が勝手に歩き回って写真を撮っている間は、やることがなくて手持ち無沙汰なのだろう。

以下、自分が訪れた伊勢のおいしい店を紹介してみる。珍しく、すぐに役に立つ日記である。私はお酒が飲めないので食べる店がメインだ。気になるお店があったら行き方やら詳細は調べてみてください。

・一月家
いわゆる居酒屋、飲み屋。中に入ると思った以上に広くて、レトロで、感動すると思う。刺身やワカメの酢味噌和えを食べた。食べるのを目的に来てもいいくらいおいしい。お会計は、卓上の皿を数えて大きなそろばんで計算してくれる。メニューには値段が書かれていないから初めてだとかなり不安を感じるが、基本的には優しい値段になっているようだ。

・ぎょうざの美鈴
有名な餃子店。大人気なので店外で並んで待つことも多い。中は調理場を中心に、客席がそれを取り囲むレイアウト。餃子を作っているのを眺めながら食べる。ずっと注文の電話が鳴っていて、とても活気がある。余談だけど、この黒電話で対応する女性店員さんが格好よくて、スマホを持つのをやめて私も自宅に黒電話をひいてしまおうかと思ったくらいである。ものすごく忙しい様子なのに、雑な雰囲気はなくて、店の雰囲気としての調和があるのが魅力だ。大衆的でありながら品の良さもあるのが伊勢らしい気がしている。焼き餃子、茹でた餃子のほかにも、おでん、からあげなどを注文できる。餃子は皮が分厚くて、もちもちしているタイプ。

・つたや
伊勢うどんを食べたくて教えてもらったお店。昔の定食屋さん風の小さなお店だが、開店とともにどんどんお客さんが入っていた。どろっとしたつゆに、チャーシューがたくさん載っていてボリュームがある。綿が太いのですすることが難しい！　常連さんのような人たちはカツ丼とかを頼んでいたので、ほかのメニューもおいしいのだろう。

・Ｃａｆｅわっく

雨宿りを兼ねたカフェ休憩で入った店。お茶を頼んだら、おまけとしてフレンチトーストが出てきて感動。この地域の喫茶店文化なのか。昼御飯のカレーがおいしいようで、六人くらいのグループは全員がカレーを注文していた。このあとは歩いて宇治山田駅へ行った。

・豚捨本店

外宮すぐ近くにあるお店。名前から豚料理しか出てこないような気がするけど、牛肉料理を食べられるお店。牛丼、牛重など。コロッケもおいしい。隣の席は臨月の女性と、その母親らしき女性だった。細々と事務的な手続きの話をしていたけど、言葉の端々から出産を楽しみにしているのがにじみ出ていた。めでたい感じがこちらにも伝わってくる。もしかしたら伊勢神宮に安産祈願に来ていたのかもしれない。

・すし久

おかげ横丁にあるお寿司屋さん。昔ながらの店構えで、かなり大きい店だ。名物の手こね寿司を食べる。五十鈴川を眺めながら食事ができた。

・赤福本店

できたての赤福を座敷でいただくことができる。お土産で食べるものよりも、さらに柔らかくて弾力がある！　私たちは朝から営業していたこの店で腹ごしらえしてから内宮へ向かった。作っている様子も見学できる。三角巾にエプロンをつけた店員さんの制服姿が素敵だ。

・Cuccagna 2（クッカーニャ・ドゥーエ）
伊勢でいわゆる郷土料理を食べ尽くした後に行く店。イタリアン。毎回、旅の終わりに寄っている。たぶん、ここで食べることで日常のモードに戻ることを自然と意識しているのかもしれない。毎回、前菜、メインからデザートまで、おなかいっぱいになるまで食べてしまう。

国内周遊記

バスの車窓から――金沢

「ポケモン工芸展」がどうしても見たくて、金沢に行くことにした。実は、金沢を訪ねるのは初めてだ。意外と機会がなかった。仕事ではなく自分の意思、思いつきで遠くに出かけるのは久しぶり。もうそれだけで心躍る。

だからホテルも面白いところにした。その名も「変なホテル」である。恐竜ロボットがフロント業務を行っているのだ。最高すぎる。とはいえ人間がアシストしているのではないか？と予想していたのだけど、チェックインもチェックアウトも恐竜のみで何事もなくできた。恐竜は優秀だ。

問題は、私のほう。朝食チケットを受け取らずにフロントを離れてしまった。「お客様！忘れていますよ」と言いたいのだろうが、それがプログラムされていないのだろう。恐竜は、黙って停止していた。視線を感じて振り返る。

何秒か恐竜と見つめ合ったあと、他のお客の視線をたどる。ようやくチケットを忘れていたことがわかった。恐竜は安心したのか、また動き出し、次のお客のチェックイン業務を始めた。

「変なホテル」という名前は変だったが、フロントに恐竜がいる以外はいわゆる普通のビジネスホテルだった。部屋も朝食もビジネスホテルとして満足のいくサービスだった。恐竜のおかげで「ビジネスホテルに泊まった」という経験が「面白いホテルに泊まった」に昇華されている。

まず金沢21世紀美術館へ行く。一番有名なプールの作品にたくさんの人が並んでいた。予約が必要だったらしい。並んでいるのは当日券を待つ人たちだ。この美術館がオープンしたときからずっと見たいと思ってきた作品だが、結局、見ることはかなわなかった。何より、雑誌などで紹介されているあの透明なプールのイメージと、いまの人々でごった返しているエントランスの風景が一致しなかった。並ぶのが嫌いなので、こういう列を見ると一気にトーンダウンしてしまう。あまりにも有名すぎることもまた欠点になる。作品を見ることはあきらめて、美術館のレストランで食事をとった。ここは空いていたし、ランチブッフェがあってとても良かった！

そのあと、向かいの兼六園を見学する。予想より広く、高低差を活かした池の造りなどさすがに見所が多かった。そして、驚くべきなのはすべての風景が違う構図で見えてくることだ。どこを切り取っても、同じ印象にならない。ただの日本庭園だと考えていたことを反省した。これは綿密に計画されたテーマパークだ。

「ポケモン工芸展」は、工芸館で開催されていた。まだ巡回展があるようだから詳しくは書かないけれども、本当に楽しかった！　匠の技と、ポケモンという大好きなコンテンツが組み合わさって、普段のポケモン世界観にはないベクトルの魅力があった。歴史とか、鍛錬とか、用の美の技術を極めること……。それを小難しいことなしで楽しむことができる。ポケモンがいなかったら、「素人にはよくわからないが、たぶんすごい作品」になってしまうところだ。みながが大好きなモチーフがあるだけで、子どもでも工芸の世界に入っていけるようになった。

　そして大人は財力を駆使して手に入れたくなってしまう作品が多かった。「壺は無理か……」、「でも着物だったら買えるかも?」、「この皿はオーダーできるのかな?」など考え始めるともう止まらない。ミュージアムショップでTシャツを購入した後、金沢駅のポケモンセンターへ行った。東京のポケセンで見つけられなかったモクローのぬいぐるみをゲットだぜ！　もう工芸は関係なくなっているが……、モクローをリュックに入れたら、アニメの「アローラ編」のサトシ気分である。

　いろいろ巡ったけど、金沢の旅でもっとも印象に残ったのはどこかといえば、川だ。ひがし茶屋街の近くを流れる浅野川。

　復元された茶屋や酒場を見学している人々で賑わう路地から川に下りる。一転して静かになる。

　桜の季節が過ぎて、日差しが暖かい。河原の石に腰掛けて一時間くらいぼんやりしていた。水の音をずっと聞いている。ツバメが飛びかう。たまに、蝶も通り過ぎていく。橋を渡っていく人は、四月だがもう日傘をさしていた。

　旅はつい見るものを詰め込んでしまうけど、こういうなんでもない時間をたっぷり取れるのが一番贅沢だと思う。空白の時間。それも、予想していないところで。

　金沢駅へ向かうバスを何本か見送り、日が陰ってきてようやく立ち上がる。川から上がって、橋の上に立つ。たくさんの人に押し流されるように歩く。欄干から下の川面を覗く。

　さっきまでの空白は、ずいぶん遠くに見えた。

侍に殺陣を習う――京都

京都の書店「誠光社」がトークイベントとサイン会を企画してくださったので京都へ。イベントは夜だったので、昼間は観光しようということになった。といっても、京都はもう何度も来ているので特に行くところもない。また、コロナ明けのインバウンド客でごった返していて、時間通りに観光するのは絶対に無理そうだから、以前から気になっていた東映太秦映画村へ行くことにした。

以前、というか大昔から気になっていたというのが正しいところで、それはもう大学時代にまで遡る。映画村のすぐ近くに研修施設があり、一週間ほどそこで過ごしたからだ。京都や奈良の古美術を学ぶために来ていた。国宝級の美術、それも一般公開されていないものもふんだんに見学する。いま思えばとんでもなく贅沢な旅だった。研修中に、大学の卒業生だというデザイナーの女性に出会った。寺をスケッチしているところだった。いまなら彼女の気持ちがわかる。大人になって目が肥えたからこそ見える美や描けるものがあるのだ。

当時は十代だったので、古美術以外の観光もしたくてたまらなかった。自由時間を見つけては友人とレトロ喫茶を巡ったりと楽しんだ。そうして、地図から見つけたのが「映画村」である。「ここ、宿舎からすぐのところじゃない？」、「忍者も侍もいる！」、「絶対に楽しいよ！」

と友人とも盛り上がった。しかし、研修中である。半日とか一日の自由時間はさすがに与えられなかった。結局、惜しみつつ帰京したのだった。

映画村へ向かう途中、あの大学の研修施設がどこにあったのか思い出そうとしたのだけどまったくわからなかった。グーグルマップを見ても発見できず。以前、森見登美彦さんと一緒に、リハーサル中のやくしまるえつこさんに会いに行ったのもこの辺じゃなかったか……と、まったく京都の地理がわかっていない。

映画村は修学旅行生と遠足の小学生がひっきりなしに訪れていた。意外とインバウンド客は少なかった。侍と忍者がいるのに！　まだ気づかれていないのだろうか？

侍に屋外の時代劇セットを解説していただいたあと、殺陣を教えてもらう。美空ひばりの展示があった。原稿がつらいとき、美空ひばりプレイリストのお世話になっている私としては大変心躍るものがあった。見覚えのあるものが多かったので、調べてみる。かつて嵐山にあった美空ひばり記念館と同じ展示物らしい。私は閉館の噂を聞いたときにそこを訪ねたのであった。いまや嵐山も大変な混雑なので、残念ながらしばらくは行くことはないだろう。その他、東映のキャラクター展示も充実していた。「エヴァンゲリオン」や「仮面ライダー」シリーズもある。

いちばん惜しかったのは建物に二階があることを知らず、プリキュアの歴代フィギュア展示を見逃したことだ。なんてこった。私は初代が好きなのだ。なぎさとほのか、見たかった……。

さて、誠光社さんのイベントも無事終わったとき、懐かしい声がした。高校時代からの友人が来てくれたのである。私と同じ年に同じ大学に入学した彼女は、いまや腕利きのデザイナーで、京都の大学でも教えている。大変優秀なのである。ある時期は私のすぐ近所に住んでいたのだけど、お互いに忙しくて地元では一度しか会えてない。でもたまに、こんなふうに私がいる場所にひょっこり顔を出してくれる。そういえば、私のはじめての展覧会、高校の文化祭で教室を借り切った展示に来てくれたのも彼女だった。

遅い夕飯でも一緒に、と思ったけど、彼女はさっさと自転車に乗って帰っていった。

いつでも会えるから、そういう別れ方でいいのだ。

つくばの旅

ずいぶん前に雑誌の取材でＪＡＸＡに行ったことがある。仕事なので集中して説明を聞き、原稿を書いた。しかしその後はすっかり頭から抜け落ちてしまった。これは私自身が理系の興味に乏しいせいだ。なんなら、文系でもない。芸術系という、一般の人々からみたらまったく別の世界、言うなれば原始人的な世界で生きてきた。

だから、たまに「自分がバカすぎてヤバい」という教養のなさそのもののような焦りに苛まれる。「アタマよくなりたい」とつくばエクスプレスに乗ってつくばへ向かった。なぜか？つくばは学園都市、科学の街だからだ。どうにかして理系への興味を自分から引き出したいと思った。

まずは科学館、つくばエキスポセンターに行く。全体的に展示が古めだ。平成初期くらいで時間が止まっているが、理科の解説としては充分だった。鏡の部屋とか、竜巻の仕組み、静電気などお馴染みのテーマがそろっている。学外授業の小学生や、遠足の園児たちが来ていた。のんびりした雰囲気は、彼らにとってはちょうど良いのかもしれない。目を引いたのは、つくば万博の展示だ。私が「科学といえばつくば」と思い込んでいるのも、つくば万博のイメージが大きい。プラネタリウムの隣のスペースに、当時の最先端のロボットや、コンパニオンの衣装などが並んでいる。

廊下の片隅には「コスモ星丸」がいた。万博のメインキャラクターだ。まるっこい造形が功を奏している。いま見てもレトロフューチャー感があってかわいい。すっかり夢中になり、グッズを物色した。

その後、JAXAへ。ツアーに参加して、説明を聞く。雑誌の取材以来の二回目だ。普段は立ち入ることのできない展示ゾーンを案内してもらう。宇宙ステーションと直に連絡をとっている管制室も見た。宇宙服にビームスが参入していたり、普段の暮らしとつながっているのも面白かった。しかし途中から、集中できなくなった。さっき購入したコスモ星丸のピンバッジがないことに気づいたのだ。このあとエキスポセンターに戻るか？　それとも通販で探すか。メルカリで高額で買い取るか……。いやそこまではしたくない。

コスモ星丸はバッグの底から出てきた。ツアー後は説明を頭の中で復習しながら、JAXAの食堂でお昼を食べた。近くの地質標本館、サイエンス・スクエアつくばも見学する。どちらもかなりのボリュームがあり、楽しめた。

でも、結局のところ、最も記憶に残ったのはつくばの街並みだった。計画的に作られた街なので、整然と集合住宅が並ぶ。大きな通り、公園、団地。駅から夕暮れの街を歩いて行く。五分ほどで住宅ゾーンに入る。均質で整理された風景だが、緑が多くて気持ちが良い。ともすれば冷たい印象を抱きがちな計画都市だけど、ここでは重ねてきた年月が醸し出す温かみがある。子連れや学生も多く、活気がある。いいなあ。

私はビルなどの無機質な建物の絵を描くのが好きだ。夕日に照らされた団地の壁をずっと見ていた。背の高い街路樹の影が落ちていく。子どもたちが帰って行く。梅雨の終わり頃、少し湿った初夏の空気だ。

もう誰もいない。風の音を聞きながら、美しくて広い街を歩いて帰った。

浜遊びを終えて——仙台

仙台の書店「曲線」でサイン会を開いていただいた。実は仙台でのイベントは初めてだったのでお客が集まるのか不安ではあったけど、予定したとおりの人数が来てくださって安心した。「曲線」は民家を改装したつくり。温かみがあって、ほっとするようなところだ。本もいろいろなジャンルが取りそろえてあって、飽きない。「私だけが知っている最高に素敵なお店」といったような場所だ。書店に行く、というのが単なる「本を買いに行く」行為ではなくて、空間や雰囲気を味わうことになっている。素敵すぎて、編集氏は「前世でどんな徳を積めばこのような店を持つことができるのか」と言っていた。

仙台には、二〇二二年に震災遺構の荒浜小学校やその周辺を訪ねている。このとき、「海辺の図書館」という小さな建物に案内していただいた。ごく小さなコミュニティーのような、人々が集っている場所だ。海が目の前。

あたりは東日本大震災の津波で流されてしまったから、建物はほとんどない。「海辺の図書館」は、かつて暮らしていた土地の上に作られたのだと聞いた。広い土地の中にぽつんと経っているけれど、不思議と寂しい印象はない。たぶん、ここに集う人たちのよりどころとしてきちんと機能しているからだと思う。システムとかそういうものではなくて、ごく自然に集まった人たちがいるのが面白い。

とはいえ、二〇二二年の海は人もまばらだった。

二〇二三年の海には、人がたくさんいた。海での遊泳は禁止されているのだけど、浜辺で遊ぶ人たちがいた。家族連れもいるし、若い女性の二人連れもいる。白いワンピースを潮風にはためかせて、何度も自撮りをしていた。そのうち、風が強すぎると判断して、ワンピースの裾を押さえながら帰っていった。

堤防の上にはラジオを流して海を眺める男女。お酒を飲んでいる。

夜からはイベントを開催するらしく、たくさんテントが並んでいた。気の早い人たちが飲食をしている。「海辺の図書館」の人たちもいた。

海は、ゆるやかに未来に向かって動き出している。

バスに乗って帰る。車内はほぼ満員。さっきのワンピース女子たちも一緒だった。家族連れもいる。疲れてしまったのか、赤ん坊が泣いている。

バスは津波がのみ込んだルートと同じ方向に走っていく。人家はまばらだけど、それでも、木も草も生えていた。

一年でだいぶ印象は変わった。何十年、何百年と経って、ここはただの海辺になるんだろう。

金沢：

橋を渡る　Crossing the bridge.

kyomachiko

金沢・変なホテル：

チェックイン　Check in.

金沢・金沢21世紀美術館：

色の中　In the color.

Kyu Machiko

金沢：

雪が降ってきた　Snow is falling.

金沢：

ひがし茶屋街　Higashi-Chaya District.

金沢：

金沢のバスの中から　From inside a bus in Kanazawa.

京都・太秦映画村：

はあ生き返った　Haa, back to life...

京都・太秦映画村：

侍に殺陣を習う　Learning to swordfight with the Samurai.

京都・太秦映画村：

天使のうしろに集合　Gathering behind the Angels.

つくば・コスモ星丸：

ガラスの中の1985　1985 in glass.

Kyo Machiko

つくば：

駅からバスに乗って帰る　Take the bus back from the station.

石巻：

内海商店の前を通って駅へ向かう　Passing in front of Utsumi Shoten to the station.

仙台・荒浜：

ラムネと海　Ramune and the sea.

Kyo Mochiko

仙台・荒浜：

遠くを見つめて　Staring into the distance.

仙台・荒浜：

海遊びを終えて　Finished playing in the sea.

仙台・荒浜：

夏の終わり　End of summer.

料金受取人払郵便

玉川局
承認
2290

差出有効期限
令和7年11月
9日まで

郵便はがき

158-8790

東京都世田谷区奥沢
1-57-12 シャリオ自由が丘202

株式会社 rn press
読者はがき係 行

お買い上げになった
本のタイトル

お名前　　　　　　年齢

ご住所

ご職業

e-mail

メールマガジン登録ご希望の方は
チェックを入れてください　　□希望します　□希望しません

※ご記入いただいた情報は、今後の出版企画の参考として以外は使用いたしません。

どこで購入しましたか？

購入のきっかけを
教えてください！

ご感想を自由にご記入ください！

最近流行っているコト・モノ・ヒトを
教えてください

好きな作家・漫画家がいれば
教えてください

この度はご購入いただき、ありがとうございました！

二〇二三年、東京

この世界を埋めていくこと

二〇二三年十月十九日にＴＢＳラジオの「session」に出演してきた。『かみまち』（集英社）についての話だ。ここ数年のあいだ電話での出演はあったのだけど、生放送のラジオ出演がかなり久しぶりだったので緊張した。なんなら、出演が決まってから一ヵ月くらい、ありがたいという気持ちは最優先であっても、出演を考えては不安になっていた。はやく十月二十日にならないかなあ、と思ったりした。

質問をされて、答える。簡単なことだが、普段しないことは難しい。まず、考えがまとまらない。良い答えが思いつかない。それでもラジオだからまずは話さなければならない、空白を作らないように、とにかく話す。話しながら考える。終わって、編集氏に「ちゃんと話せていましたよ」とねぎらわれる。真偽はともかくとして、話慣れていない人間が話さなければならない場合、どうすべきなのか。私なりの答えは出ていた。

「とにかく与えられたスペースを埋めること」

「ポジションをとること。ここは私の場所だ、と主張すること」

前回放送スタジオに行ったのは五年くらい前だ。それからのあいだ、何をしていたかというといつもどおり漫画や絵を描いて生きてきたわけだけど、ちょうど『かみまち』を制作していたのがこの時期だった。

ただ、コロナ禍もあったり、なんだかとにかく暗い五年間ではあった。もちろん、プライベートでは楽しいこともたくさんあったのだけど、いつも仕事のことに関しては悲観的であったように思う。少なくとも、ポジティブではなかった。


気持ちが濁っていくのはつらかったが、それよりももっと危惧していたのは「描くこと」を手放してしまうことだ。私は人間だから、どす黒い感情を抱くこともあるし、心に刃を向けることもある。でも、「描くこと」、創作全般に対しては、絶対に裏切りたくないと思った。ここだけは死守したいものなのだ。大げさにいえば、絶対不可侵なもの、神聖なもの。人間を人間たらしめているもの。(念のためだけど、これは「ネームを直したくない!」みたいなちっぽけな神聖ではない。良い作品にするために相談しながら練り上げていくのは当然だ)。

だから、自分がどんどん澱んでいくのは放っておくことにした。今後、そういう気持ちを必要としているキャラクターも出てくるかもしれないし。ただ、とにかく手を動かし続けようということだけ決めた。手を動かせば、頭も動くし、ネタをさがして目も働くようになる。小さく狭まった行動範囲から、普遍を発見することだってできるかもしれない。『かみまち』が描けなくなったことはあったけど、その間は別の作品に取り組んだ。コロナ禍では徹底して「そのへんの風景」を描いた。とにかく手を動かすのだ。ぽっかり空いたスペースを作らないことだ。

とにかく、埋めていく。ここは、私の場所だ。

収録スタジオに、五年前に私がラベルを描いたサイダーが置いてあった。番組の企画で作られたサイダーだ。きっと味は変わっているだろうけど、炭酸は抜けていないかもしれない。味見をする勇気はないけれど。でも、見た目は新しいサイダーと変わらないのだった。青みがかった、透明の炭酸水だ。五年間を思って、その場にいるみなで「懐かしい」、「年取った感じがします」、「昔よりおしゃれになったかも」など語りあった。いろいろあったけど、それぞれがやるべき仕事を満たしていることは明らかだった。

急に気温が下がったので、放送局を出ると予想よりひんやりしていた。夏服で出かけたのを後悔した。衣替えも間に合わなかったし、最近出かけることも滅多にないから、まともに服を買っていないのだ。震えながら赤坂を歩くことになった。五年間を乗り切ったこと、すっかり自分が小さい世界に引きこもっていたこと。それでも描くことは私を導いた。つめたい空気が東京を満たしていく。もう秋だ、と主張している。

ぺらぺらのスカートの裾を踏まないように気をつけながら、地下鉄の階段をくだっていった。

iPadで描く

「デイヴィッド・ホックニー展」に行ってきた。行きたい展覧会リストに入れていたのに、気づいたら最終日の昼になっていて、慌てて駆けつけた。十六時くらいに東京都現代美術館につ いた。大変な混雑だった。後回しにしていたことを後悔したけど、素晴らしい作品を鑑賞できて大満足だ。何より、自然を描いたときの緑色がいい。自然を描くときに避けがちなテカッとした明るすぎる緑を、敢えて使っても自然物として見えるのが巨匠の色づかいの凄まじさだ。気持ちも明るくなる。圧巻の全長九十メートル超「ノルマンディーの12か月」をはじめ、近作をiPadで描いているのが軽やかだ。

私は普段、ネームはiPad、作画はワコムのタブレットとPCで作業している。スケッチは紙のノートにするとなんとなく決めていたのだけど、ホックニー風にiPadで屋外スケッチを描くのもいいな。外でiPadを見ると自然光で画面の色が見えなくなるのだけど、そういう問題はどうしているんだろう? 日陰に入ったりしているのだろうか。

先週は中国地方に取材に行ったあと、横浜を一日中歩き回って、そのあとでホックニー展。作業できる時間はあまりなかったけど、インプットの期間だった。

アルバムの消失　十秒で描くメモ絵のすすめ

二〇一一年の冬に、オランダとポーランドを訪れた。『アノネ、』を描くための取材だ。アウシュヴィッツ・ビルケナウ強制収容所も訪れて、写真も撮った。もう一度見直したくなり、写真を探す。作品の資料ごとに、写真ライブラリの中にフォルダを作ってある。『アノネ、』のアルバムを開く。空だ。何も入っていない。あんなに撮ったのに！

きっと、何度かPCを買い替えたから、そのときの移行で消えてしまったのかもしれない。何も残っていないなんて。

いつも「とにかく写真を撮る」ということを心がけている。初めのうちは漫画の背景に使うというのが目的だった。だんだんと記録や記憶としてとりあえず撮っておく、ということに変化した。写真さえあれば思い出せる。記憶は写真データに基づいている。それを失うのは恐怖そのものだ。

写真データをごっそり失ってしまったいま、アウシュヴィッツ・ビルケナウ強制収容所を思い出せないかというとそうでもない。『アノネ、』に描いたし、断片的ではあるけれど、どんな写真だったかも記憶している。展示を見た順になんとか再現しようとしてみる。十年以上前のことだから、記憶の引き出しの奥底を手探りしているような感じだ。

写真を失う、というのは、ひとつの指標を失うということでもある。ある現実の出来事と、それに基づくフィクションを描くことが多いから、よりどころとしての写真（正しさ）は心の支えでもあった。でも、写真を撮るときに少なからず撮影者の意思が反映されているし、そもそも展示も何かしらの編集がなされている。その場にいた経験者の人々が話すことも、その人のフィルターに通されている。伝える技術のうまさも人それぞれだろう。そんなことを考え出すと、何を頼りにすればいいのかわからなくなる。あっという間に不安や恐怖に飲み込まれてしまう。

正しさにとらわれると、自滅する。


訪れたとき、収容所の地面には雪が残っていた。水はけが悪くて、泥と雪が混じっている。ぐずぐず。小屋に入るときの身震いも思い出せる。当時は人を詰め込んでいたけど、いまは誰もいない。

写真が撮れないときもある。そういうときは、机の前で思い出して描く。といっても、メモ程度だ。それがけっこう楽しい。たぶん、写真に撮ってあったら正確さにこだわってしまうだろうけど、自分の記憶だから実際の風景とは違っているのが当然だ。仕事用の絵ではないからたぶん一分もかかっていない。十秒くらいか。三秒かもしれない。現実とフィルターを通した世界を行き来する自由。

正しくないことを面白がる、贅沢な時間だ。

というわけで文庫本サイズのノートにメモを描いている。

メモでも蓄積すると次の作品の芽のようなものも見つけられる。猫を描くのが楽しいことを発見した。日常の中の幸せそうな風景、というのを最近気にして見つけるようにしている。（陳腐にならないようなさじ加減が難しいけれど）。

幸せそうな風景、というより、なんでもない日常を美しく描いて、未来の人たちに「こんな感じだったんだね」と伝わればいいな。

いまが未来からみた戦前だとすれば、私たちが当たり前に思っている風景はいずれ失われるだろう。日々はままならないし苦しいこともいろいろあるけど、幸福な瞬間や美しい色合いはたしかに存在したのだ、と未来に送り出したい。

写真で撮ってしまうと見落としてしまいそうなシーンも、思い出して描くと違ってくる。フィクション的作業をすることで、より自分のものになっているのかもしれない。

誰も私に話し方を教えてくれなかった

前回、TBSラジオの「session」に出演したあと、もうこの先、十年くらいはラジオ番組には呼ばれないだろうと思ってのんびりしていた。引きこもり生活にぬくぬく戻っていたら、編集氏から連絡があり、一カ月もしないうちにまたラジオ出演することになった。「アフター6ジャンクション」で読書について語るというものだ（生放送の『ブック・ライフ・トーク』と、Amazonオーディブル会員用のPodcast『アトロク・ブック・クラブ』）。何を語ったのかは実際の番組アーカイブを聴いていただくとして、いろいろ考えることが多かった。

読書の楽しさを再認識したし、久しぶりに宇多丸さんに会えたこと、宇垣美里さんと同じ本を推していたことなど嬉しいことがたくさんあった。新刊の『かみまち』、『すずめの学校』（竹書房）についてもたくさん触れていただいた。問題は、自分である。

もともと人と関わって作業していくのが苦手なので、おのずと人前に出ない、一人でできる仕事をして生きている。でも、それでも人前に出なければいけないときもある。インタビューで作品を解説したり、ほかの作家さんと話したり。求められるならばできるだけ応じていきたいと思う。とはいえ、やっぱり話すことは苦手なのだ。

だから、毎回、始まる前に「私は話すことが苦手なんですよ（だから大目に見てもらえないでしょうか）」とゴニョゴニョと予防線を張る。そんなことをずっと繰り返してきたのだけど、いい加減、やめようと思った。せっかく呼んでもらえたのに、相手に言い訳をしながら話すのは失礼だし、何より、自分を惨めにしているだけじゃないか。

「私なんか……」と言わなくて良いことを言って、「いえいえ、ちゃんと話せていましたよ」と相手にフォローしてもらうところまで期待しているなんて、卑しいこと、この上ない。

声が小さい、滑舌が悪いとか細かいことよりも、そういう「甘え」みたいな濁った空気を全開にしてしまうのは、もう嫌だ！

おそらく、会社などの組織に所属したことがなく、会議やプレゼンという話す機会が普段からないということも苦手意識を増長させているし、漫画家は作品がすべてだから話なんてできなくてもいい、という傲った気持ちがなかったといえば嘘になる。学生だった頃は課題ごとにプレゼンを求められていたが、プレゼン自体は学生みな下手だったので、そんなものだと思っていた。最もまともに話せたのは、小学六年生、中学受験の面接のような気がする。

というわけで、だいぶ大人になってから、話し方教室に通うことにしたのである。

教室の初日、先生に「話し方って、誰も教えてくれないんですよ」と言われハッとした。「ハキハキ話しなさい」とか「ゆっくり話しなさい」、「プレゼン資料の作り方」など些末なことは言われてきていても、全体としての話し方は誰も教えてくれなかった。

そして話し方には傾聴も含まれるらしい。それでラジオに出演すると、相手の傾聴力によっていつもより話せた気（いい気分）になって帰ってくるのだな、と納得した。

十年くらいまえ、女優の青柳いづみさんが「今日マチ子」を演じてくれたことがあったのだけど、それが自信なさげにボソボソと話しているのに面白がりつつも驚いたことがあった。もちろん役者だから、ボソボソ話しているようではっきりと聞こえていた。が、私はこんなにしょんぼりした人間であったか、と少なからずショックを受けたのだった。

ちなみに、私の中にあるお手本は辻村深月さんだ。何度かイベントでご一緒したことがあるのだけど、作品はもちろんのこと、ご本人の話し方がきちんと作品に釣り合っていて、素晴らしかった。ちゃんとした大人なのであった。比較して自分は……。つらくなるのでもう書かないが、とにかく、どうにかしなければならぬ状態なのは間違いない。しばらく、がんばってみようと思う。

次にラジオ出演があるならば、言い訳せずに堂々と、マイクの前に座っているはずだ。

幽霊、銀座の蝶に会いにゆく

「あなたにぴったりの役があるの!」

と言われて自主映画に出演したことがある。まったく演技はできないので少し不思議ではあったけど、ちょっと嬉しかった。映画なんて、ある程度の容姿がなければ出演できないからだ。配役もわからず現場に行った。はたしてその役とは、「合コンにやって来た幽霊」なのであった。「何も言わずにそこにいれば良いから」と言われて、「はいそうですか」と従ったお人好しの自分が情けない。合コンシーンの次は、ワンナイトモーニングのシーン。朝、目を覚ました男がとなりに寝ている私を見て「ウワー!」となるのだ。

プロならこんな役はなんてことないのだろうが、私は演じず、ただの私として呼ばれてその場にいたから、ひどく傷ついた。仮面をかぶっていなかったから、もろにくらってしまったのだ。その場ではニコニコと挨拶してきたが、帰宅し、時間が経つにつれてどんどんつらい気持ちになった。完成試写会も欠席した。どんな役かを確認せずに行ってしまった自分が悪いのだけど、客観的に見て、私の容姿は幽霊なのだという事実はキツい。

もちろん容姿への自信などは徹底的に砕かれたので、もう物体として存在することが無理、幽霊ではなく形を持たぬエーテルとして作家活動ができないものかと本気で考えたこともあった。人前に出る際には、別人に「今日マチ子」を演じてもらったこともある。日頃は人前に出ずに生きることで、いらぬ傷を増やさないようにしている。

そんなふうにとにかく形を持たない存在になろうと努力をしているが、人間として生きている限りは形からは逃れられない。ドラマ「マスクガール」はやはり整形をする前、動画配信者としてのバーチャルな存在になっているところが一番好きだなあ、と思ったりしているのであった。(とはいえモミさんはもともとのスタイルが最高に良いのだけど)。


さて先日、祝い事と社会勉強を兼ねて銀座のクラブに連れて行ってもらった。自分には縁遠すぎるのだけど、むしろこの遠さはこんな機会でもなければ一生経験できないと思って行ってみた。

まずは同伴からである。ホステスさんと一緒にご飯を食べる。輝くような美貌である。内側から発光しているようだ。まるで手入れが行き届いたバラ園のよう。そしてごはんがやたらおいしい。客のほとんどが同伴で来ている店だった。銀座で遊ぶ人たちが食べているご飯のレベルというのがそもそも高いのだろう。卵かけご飯でさえおいしい。

ホステスさんにいろいろお話を聞く。ふだん接客をしている人に接客をさせないのはちょっと失礼かもしれない。それでも、初対面の相手を気持ちよく楽しませながら、自分の話をしてくれた。最初はキレイな方すぎてこっちも緊張したのだが、すぐ面白おかしい話をして場をやわらかくしてくれるのは、さすが銀座の女である。

この面白い話はまた別の機会に披露するとして、お店に向かう。席に着くと、入れ替わり立ち替わりホステスさんが横に座ってくれる。何を話したら良いのかわからないので緊張する。それでもどんどん話しかけてくれる。ありがたい……。

そして私はといえば、斜め向かいのホステスさんの胸を見ていた。別にいやらしい意味ではない。あまりの形の良さに感動していた。ドレスが身体にぴったり合っているし、胸の形もごく自然に整えられている（を装っているのだろうけど）。正しい位置に正しく鎮座する、ドレスにおける理想の胸である。ヘアメイクも、女性らしいけど過度にフェミニンなわけでもない。なんというか、風紀委員もＯＫを出してくれそうな、清らかな女っぽさなのだった。さっきまで近くの月光荘で画材を見ていたから、８Ｂの鉛筆でこの美しい姿を描いてみたいと思った。

その胸のキレイなホステスさんのところに、客がやって来た。いわゆるカタギじゃない風の男性。まあそれはいい。なんたって最近の私はドラマ『日本統一 北海道編』を観ているから。（最初は面食らったが、様式美というのがだんだんわかってきて楽しくなってきた）。しかしやたらその男性と目が合う。もちろん周囲には黒服さんもたくさんいるし、トラブルは発生することはないはずだ。それでも目が合う。だんだんと怖じ気づき、時間も遅くなってきたので帰ることにした。

クラブでは女性客というのは珍しいからなのだと思う。クラブにおける女性、というのは、ホステスさんのみであってほしいのだろう。そこに私はそこらの女性として紛れ込んでしまったのだった。だから、あの男性はいっときの夢を見に来たのに、そこらの女性が視界に入ることが嫌だったのだろう。たしかにそれはわかる。
蝶の中に幽霊が立っているように見えたんだろうな。
富や権力を手にした人々にとって、銀座のクラブは一般庶民にとってのスタバみたいなもの
なんだろう。カタギじゃない目線に縮みあがったけど。とはいえ、すべてが美しかった。いつ
かまた行ってみたいなあと思うのであった。

踊らずにはいられない私たちと、呪いを受けても踊り続けること

「酉の市」をご存じだろうか。存在が東京以外の人にはあまり知られていないのだけど、江戸時代からの祭りで、商売繁盛を祈る十一月のイベントだ。浅草酉の市、新宿の花園神社、目黒の大鳥神社などが有名だと思う。雑多で華やかな昔ながらの東京を感じられる。私にはこの雰囲気が幼い頃の東京の商店、祭りの記憶に結びついている。関東大震災や空襲にも遭いながら、なんとか命をつないで東京に生きてきたぞ、というルーツも感じる風物詩だ。

浅草はいまやオーバーツーリズム気味で、昼間はもちろん、夜でも人通りが大変なことになっている。昔は閑古鳥が鳴いていたような競馬実況系の飲み屋も大入り満員だ。でも、酉の市は観光客には知られていないようだった。浅草寺周辺を抜けてしまうと、外国人はほとんどいなくなって、酉の市に行く「それっぽい」人が多くなる。たくさんの屋台を抜けていく。小さな会社が社員総出でお参りに来ていたり、商店の人が熊手を持っている。商売のお祭りなので、個人で来ている人はごくごく小さな会社をやっているとか、フリーランス的な立場だったりする。私もその一人である。

酉の市に毎年行くようになってから、もう何年経つだろう。同じくフリーランスの友人と

細々と行き始めた。いまは、その年の都合で行ける友人を誘い合っていく。二人だけのときもあるし、ここ数年は五、六人が多い。そして、みな基本的にはフリーランスである。

そして、共通する点はもうひとつある。

何かを作る人、ということだ。

創作系のことをやっていると、必然的にフリーランスという立場が多くなる。そして、収入が不安定になりがちだ。これは別に貧乏ということではなく、一定ではないという意味で、収入がゼロ円の月もあれば、一ヵ月で一年分の収入のときもある。だから、年単位でみても、端から見たら生きていけるのかと心配になるような年もあれば、港区にでも住んでいるのかというようなときもある。波があるのには慣れっこでも、あまりにも低いほうが続くとメンタルも揺らぎがちになる。多少は安定したらいいなあと思うのは人の常だろう。酉の市にはそういう収入面でのちょっとした希望を託しているのである。

そして、創作系にありがちな孤独感を癒やすのにも一役買っている。酉の市に集合することで、お互いに生存確認しつつ近況報告するのが心地よい。社交的なら出版社の忘年会パーティーで賑やかにすごすのが楽しいのだろうけど、そういうのが苦手なタイプの人間にとっては、酉の市で挨拶するくらいでいい。ゆるやかにつながり続けるのが私は好きだ。

収入が安定しないこと、孤独感にさいなまれることに耐えられるのは、作家の心が強いからではないし、好きなことで自由に生きているからでもない。それしかできないからである。大いなる不自由だ。

作ることしかできないし、誰が頼んでいるわけでもないのに勝手に作り出してしまうからだ。ダンス系の人たちはミーティング中なのに勝手に踊り出すし、踊らずにはいられない。演劇の人たちは誰かの誕生日には突然の寸劇を始めるし、ブックデザイナーは激務の中で手作りした豆本を差し出してくれるのである。

ちなみに、酉の市が十一月なのもちょうどよい。十二月は年末進行があるから、結局、年末を超えて、年始もダラダラと机に向かい続けることになる。そんな魔の師走の前に、ちょっと今年を振り返って、お互いにねぎらって、来年を覗き見る。そんな酉の市の良さを是非知っていただきたい。特に、これから一人でやっていこうという若い方はお友だちとぜひ。きっと心の支えになると思う。

夕方に雷門の前に集合して、脇道から酉の市へ向かう。今年も無事乗り切れたことに感謝しつつ、来年もなんとかなりますようにと祈る。政治家や大企業の豪勢で巨大な熊手を眺めながら、自分はいちばん小さな熊手を買う。ささやかだけど、このくらいが、長く作り続けていくにはちょうど良い。神社から入ったはずなのに、出口はお寺になっているのが不思議だ。そして、私たちのうちの何人かはプロテスタント校の教育を受けた同窓生なのであった。滅茶苦茶だが、誰もそんなことは気にしていない。

そのあとは、作る仲間のレストランへ。おいしいご飯を作らずにはいられない彼女が繰り出すごちそうを食べた。

酉の市の仲間と出会った頃、「ほとんどの女性は美術大学の卒業後、作ることをやめてしまう」と目上の人から言われた。そうなのかな、とボンヤリと思っていた。でも、私たちは違った。世の中が変わったのかもしれない。偶然、私たちが妙に頑固な女性たちだったからかもしれない。それにもしかしたら、年に一度、酉の市で会いながら歩み続けてきたからかもしれない。

みなが作り続けていることに感謝して、ちょっと早いけど、二〇二三年をたたんだ。デザートは手作りのケーキ。ごちそうさまでした。

『かみまち』ありさ、「俺はバカなんで」、話し方教室の効用

「このマンガがすごい！」というランキングがあり、オンナ編に私の描いた『かみまち』が二〇二三年の十六位に入った。ありがたいし、ほっとした、というのが素直な感想である。推薦して下さった方には一生頭が上がらない。基本的にこういうランキングには縁がないから、発表されるたびに世の中の隅に隠れるようにして生きている。極力気にしないようにしているが、やはり逃れられることはない。お世話になっている編集者への恩返しでもあるし、何年に一度かはこういった目に見えるものがないと、世に作品が知られる機会がないからだ。読まれない漫画を描くことを生業にして、生きていくことはできない。最低限、食べていかねばならないのである。

『かみまち』には四人の少女が出てくる。その中で、ありさ（アゲハ）という芸能活動をしている少女がいて、彼女は本来はとても賢い子どもなのだけど、周囲からの洗脳によって「自分は頭が悪い」と信じ切っている。作品に対するインタビューで、彼女のモデルになったのは誰かと聞かれることが何度かあった。取材した人々のエピソードから思いついたと答えてきたが、実はそれよりもっと前に、モデルがいたことについ最近思い当たった。すっかり忘れていたの

だけど、それは三〇歳くらいの男性だった。

引っ越し業者としてうちにやって来た一人で、小柄でメガネをかけていたと思う。打ち合わせ時、彼は必ず「いやあ、俺はバカなんで。ハハハ」と最後に言うのだった。こちらは引っ越しの作業をお願いしているので、それをちゃんとやってもらえればいい。「寝具類は寝室に」、「衣類の段ボールは押し入れに」というような単純な指示である。この人がバカかどうかなんて全く関係ないのに、いちいち「俺はバカなんで」と言う。

「いいえ、あなたはバカではありませんよ」とでも言うべきだったのだろうか。この人の頭の良さなんてここで試験でもしなければわからない。わかったところでどうなるというのだろう。彼以外のスタッフはその様子には慣れているらしく、誰も注意を払っていない。奇妙だった。

引っ越し自体は何も問題なく終わった。ただ、居心地の悪さだけが残った。もしかして、私自身が無言で「私は世界で一番頭が良い‼ あなたは人類最低のバカ‼ 黙って言うことを聞きなさいよ‼」みたいな態度を彼にとっていたのだろうか、とも思ったけど、さすがに見ず知らずの相手にそんなことを念じる気力はない。ただ単に、引っ越し屋さんが来たなあ、くらいのことである。

彼の引っ越し作業以外の場面、育ってきた家庭とか、学生時代の関係性とか、職場での様子とか、勝手に想像してしまいだんだん悲しくなってきた。本当の生活は何も問題のないものなのかもしれないけど。一瞬だけ関わった人間に、ここまで気持ちを持って行かれるのもなかなかない。

そうして心の奥底に沈んでいった「俺はバカなんで」の彼は、いつのまにか自分の作品に一人の少女として現れたのであった。

しかし、彼を一方的に批判することもできない。私も同じようなときがあるからだ。たとえば、先日のラジオ出演時。「私、話すのが苦手なんです」と何度も言ってしまう。周囲の人々は気を遣って「いいえ、そんなことはありませんよ」と毎回返してくれるが、おそらく心の中では呆れていることだろう。話すのが苦手かどうかなんてどうでもいいのである。五分後にマイクの前で話をさせるのが目的なのだ。それなのに「私、話すのが苦手なんです」と言い続けてしまう。理由は、失敗したら怒られる、と思い込んでいるからだ。怒られるのは恥をかくことだ。恥をかくのは怖い。先回りして謝っておけば、怒られない。

しかし、実際に怒られたことはない。ただ、自分で勝手に「最悪の結末」を想像して、恥ずかしく思っているだけなのであった。

だから話し方教室に通うことにした。通ってみると、「私、話すのが苦手なんですよ」と言っている暇はない。先生に「はい、やってみましょう」と言われたら即座に話さなければいけないのだ。その様子を動画に撮って、自分で見返す。モタモタ話している自分を見るのは、死ぬほど恥ずかしい。地獄である。そんなことを毎回やっていたら、話すことがそんなに苦ではなくなってきた。克服したのではなく、単に、恥ずかしさと向き合うことができるようになってきたからだ。この「話すのが苦手」な自分を使って話すしか方法はないのだ。

そうして私は話し始める。挨拶のあとは自己紹介。

「漫画家です。でもたいして有名ではないんですよ……。末端の中の末端で……」

こんなことをいちいち言う癖もどうにかしたい。誰もそんなことは聞いていないのである。いま、目の前にいる人間の職業を知りたいだけなのだ。それなのに、漫画賞をいくつもいただいても、何十冊も単行本を出していても、「このマンガがすごい」にランクインしても、私はこの卑屈な自己紹介を続けている。いいかげん、やめよう。

評価が自信を作るわけでもないし、自信満々に振る舞うのは必要ではない。ただ、「たいして有名でない」、「末端の中の末端」な漫画家であることを受け入れること。そして、精一杯よい作品を目指して作ればいいのである。

今年はもう終わりだから、二〇二四年の目標のひとつにしようと思う。

「窓ぎわのトットちゃん」になれなかった子ども

映画「窓ぎわのトットちゃん」を観て来た。素晴らしかった！　誰かにお勧めされたわけでもなく、日曜日の午前に時間が空いたのでふらりと観に行った。あまりの良さに興奮気味である。大好きな映画がまた増えたから、日記に残しておくことにした。

ネタバレに厳しい世の中なので、ストーリーに触れることはしないでおくけれど、このお話は黒柳徹子さんによる自伝的小説『窓ぎわのトットちゃん』（講談社）を原作に作られたもの。だから、知っている人も多いと思う。私は小学校低学年の頃に読んだ。その後、この本が世界中で読まれ、特に中国で大人気になっていることはごく最近知ったことだ。

さて、トットちゃんが退学になった小学校は、私が通う予定だった小学校である。入学前に引っ越したため、実際に通うことはなかった。でも、周辺の地理は頭に入っているから、映画の中でチンドン屋さんたちがやってくる通りや、坂の感じ、池や、駅の描写は「うわー、わかる！」と一気に脳内が覚醒した。身体で覚えている幼少の記憶が蘇ってくる。

原作を読んだときも、自分が通うはずだった小学校が出てくる、というのは大きな魅力であった。でも、読み進めていくうちに私は失望し始めた。なんと、トットちゃんは早々にその小学校を退学してしまうのだ。そこからは元気いっぱいで心優しく、奇想天外なトモエ学園の日々が綴られるのだが……。

自分だったら、おとなしく最初に出てくる「普通の」小学校のルールに従うだろう。先生には従わなければならないと思い込んでいる、個性も何もない児童の一人でしかない。そんなことが読み進めるうちにはっきりとわかってしまったからだ。だからトモエ学園のユニークな授業とか、小林校長先生の素敵な言葉なんかも、きっとこっちのほうがいいんだろうな、と思うことはあっても、入学したいとは思えなかった。平凡な自分にはきっと縁のない世界だと思ったから。

でも、本自体は面白くて、一気に読んでしまったことは覚えている。自分にはないものをたくさん持っているトットちゃんに憧れを抱いた。これこそ、才能の塊というやつなんじゃないか。

そんなふうに読んでいた『窓ぎわのトットちゃん』だが、大人になって映画版で触れてみるとまったく違って見えた。トットちゃんに特別な才能があって、素晴らしい子どもだからトモエ学園に通えたわけではない。トモエ学園が、どんな子どもでも受け入れる学校だったということだ。だからきっと、平凡な児童であった私でも、ここに通ったならば、自分のことも他の人のことも、すべてを尊重するようになっただろう。

ああ、子ども時代に戻って、この世界の中で子ども時代の自分をまるごと受け入れてもらいたい！　そんなふうに思う大人は多いのではなかろうか。

本編の中で、トットちゃんの父が芸術と戦争について、自分の考えを貫くシーンがある。善い大人とはこうあるべきなんだろうな、と思ったたし、その姿勢が現在の黒柳徹子さんを作ったのだと納得できるエピソードだ。私はそうできるか自信がない。

以前、トークショーで同様の話題になったとき、私は「戦争になってしまったら、自分自身が金銭的に困窮していた場合、プロパガンダに加担してしまう可能性がある」と発言して、他のゲストに「信じられない」と言われてしまったことがある。私だって、そんなことしたくないと思っている。不思議なのは、みな自分がつねに正しい振る舞いができると信じ切っていることだ。誰だって弱い心を持っているし、それを認め合うからこそ人間なのではないか。弱いとわかっているからこそ、少しでも良い方向へと努力し続けるのが前進というものではないのか、と私は思うのだけど。

そうはいっても、真に善い人間はそんなことなんて考えたりしないのだろう。まぶしいくらい素敵な大人たちに囲まれたトットちゃんと、トットちゃんになれなかった子どもである私の大きな隔たりだ。

戦争が始まると、素敵な大人、ではない人々がトットちゃんの世界にも現れ始める。このあたりは、なんだかコロナ禍の殺伐した空気感にも通じるところがあった。二〇二三年、いまやほとんどの人がコロナ禍での、憤ったり、極端な行動にはしった自分の姿を忘れているけれども。

話も絵もとても丁寧で、美しい映画だった。子どもの見ている世界を感じることができる。

初見でちょっと不思議だったトットちゃんの造形は、たぶんこの時代の絵柄を基にしているんだろうな、と気づいたり。子ども向けのようでいて、トットちゃんになり損ねた大人たちが心揺さぶられる素晴らしい作品だと思う。ぜひ。

ふたつのクリスマスと、怯える私

毎年十二月二十七日頃に年内最後の〆切がある。そこを過ぎたら、原稿は翌年に持ち越しだ。まあとにかくスッキリと仕事納めをすることはないのだけど、今年は違う。なんと、二十二日にすべての原稿を入れたのだ！　例年より五日も早い。今年は絶対に終わらせたい、そう考えて、月の初めから何度もスケジュールを切り直しながら進行した。やればできる年もある。なぜかといえば、二十三日にバレエの「くるみ割り人形」を観に行く予定があったからだ。

「くるみ割り人形」のチケットを取ったのは、原稿作業のまっただ中。本当に観に行けるのか、まったくわからなかった。仕事からの現実逃避で、突然「くるみ割り人形」を思いついたのだ。バレエファンでもない。ただとにかくクリスマスらしいことがしたくなって申し込んだ。

昔、仲の良い友だちが近所に住んでいた頃は、クリスマスは二人で教会に行って賛美歌を歌うという恒例行事があった。彼女が引っ越してもう十年以上経つ。以来、クリスマスは原稿に追われているだけのいつもの日になった。そのことに気づいて、クリスマスを取り戻す作戦に出たのである。

二十三日、無事にすべての原稿を入れた開放感に浸りつつ、劇場へ。オーケストラの音が聞こえるだけで、非日常感で胸がいっぱいである。幕が上がると、もう、夢しかない。美しいものしか存在しない世界だ。

いつも、映画や舞台などの作品を観賞していても、頭の中ではずっと独り言で話している。「この表現はあの作品の引用か」、「なるほど、サイドストーリーはここでつながるのか」などなど。あらゆる瞬間を持ち帰ってやろうという卑しい気持ちで臨んでいるので、純粋に楽しむということができていない。たぶん職業病だと思う。でも、私にとってバレエは観賞が人生二度目なので、頭を使いながら観るということが不可能だ。めくるめく世界に何も考えずに乗っかって、ただただ楽しむことになった。

夢中になっていると、隣の席の男性の様子がなんだかおかしい。主人公マーシャがくるみ割り人形を手にしたとき、彼が舌打ちをしたように感じられた。いや、聞き間違いかもしれない。しばらくすると、今度は大きなため息。さらに何かボソボソ言っている。楽しい気持ちから一瞬で醒めて、いまや私の脳内にサイレンが鳴り響いている。バレエダンサーへの不満ではないだろう。

きっと隣の私がバレエ鑑賞の素人であることが気に食わないのかもしれない。でも普通に座っているし、咳もしてないし、何も思い当たることがない。バレエファンにとってはそういう人間が一番厄介なのかもしれない。

くるみ割り人形が変身しても、まだ舌打ちとため息と独り言が繰り返されていた。膨れ上がる負のエネルギーを浴びながらも、なんとか舞台に集中していたが、恐ろしくて仕方ない。どうしよう、この人にナイフで刺されるかもしれない。先日、編集氏が暴漢に襲われた話を聞いたばかりである。第一幕が終わったとき、即座に席を離れたのはいうまでもない。

休憩時間の間に、席を変えてもらえないか劇場と交渉しようと考えた。同じような状況の人が何組か、係員をつかまえては座席表を見て話し込んでいる。ようやく係員の手があいたので、ベンチから立ち上がって話しかけようとすると、あの男性が先に係員をつかまえていた。クレームは私のことに違いない。ああ、席に戻ったら係員から怒られるんだろうなあ。はあ。せっかくの楽しいイベントなのに、こんなことになるなんて。なんだか負けたような気持ちになりながら、会話を盗み聞きしていると、前の席が、という話をしている。

舌打ちは、私に向けたものではなかった。私たちの前列にいた、外国人の家族連れについてのクレームなのだった。小学校低学年くらいの女の子、まだ幼児の女の子、父、母、母の妹、という五人だ。自分のことではなかったのだ。安心する。ああ、てっきり刺されると思ってしまった……。

同時に、今度は外国人ファミリーが心配になってきた。件の男性は、「子どもを膝に乗せたり、小声で話したり、鑑賞中も椅子に背をつけず動きつづけるので舞台が見えない」と訴えている。彼らに落ち着くように注意できないか、ということだった。

でも子ども連れで観賞に来たら、そんなものなんじゃないかなあと思う。しかも「くるみ割り人形」は私のようなバレエ素人でも観に来るような演目である。子どもの観客もたくさんいる。たしかにそのファミリーは飲食禁止のホール内で水を飲んでいたり、小さいほうの女の子は会場の年齢制限以下の歳のようではあったけど……。それはきっと注意事項まではチェックできなかった、あまり日本語に堪能ではないということなのだろう。

ちいさな姉妹はオーケストラに合わせて小声で歌っていた。それだけでもこの舞台を楽しみにしてきたのはよくわかったから、ここで厳しく注意されてしまうのはちょっと可哀想だ。とはいえ、男性も、一人でバレエ鑑賞に来ているのである。相当な期待をもってこの場にいるのは間違いない。

係員からの注意で楽しい家族のクリスマスイベントが気まずく悲しいものになってしまうのも、状況が改善せずに男性のとっておきのクリスマスが台無しになるのも、どちらも困る。

男性の長いクレームを聞き届けてから、係員は一瞬考えて、言った。

「こちらに空いている席があるので、よろしければ移動してください」

家族連れへの注意はなかった。

そうか、そういう解決方法なのか、と感心してしまった。どちらも傷つけない方法だ。きっとこういうケースには慣れていて、係員にとっては何も珍しくないことのなのかもしれない。でも、見事だった。

私はふたたび安心して、第二幕を楽しんだ。もちろん、頭の中の独り言もなしで。

そして家族連れも、すっかり舞台に集中して、みじんも動かない。
そうしてマーシャはクリスマスの朝を迎えたのだった。

大根とヴィトン、切断した何か

大根を両手に持ち、畑に突っ立っていた。誰もこちらを振り返らない。足元には破れたビニール袋。私はいままでの人生を後悔し始めた。袋について、いままできちんと考えたことがなかったから。

先日、野菜の収穫体験に参加した。優雅な都市住民のレジャーといった様相で、おうち英語を得意げに披露してくる親子連れとか、最新のアウトドアグッズを持ち込む人、高級車で農場にやってくる人などが集結していた。もっと田舎めいてのんびりしたものを予想していたので、ちょっと面食らってしまった。

気を取り直して、冬の畑から大根を引き抜く。地上に出ている部分と同じくらいの部分が土に埋まっている。見た目の大きさがそのまま大根全体の大きさになる。畝の中から特に大きそうなものを二本選んだ。引き抜いて、用意したレジ袋に入れる……が、大根が重すぎて袋は破けてしまった。誰か余った袋を差し出してくれるわけでもない。ほかの人たちはさっさと行ってしまう。みな、丈夫なイケアの袋とか、アウトドア用の折り畳みバッグで大根を運んでいく。このまま、ダンベル並みに重い大根を両手に持って、電車に乗って帰らなければならない。

世の中にはバッグが好きな人たちがいる。こう雑に言ってしまうのは、私がバッグに微塵も興味がないからだ。いつもコンビニ用のエコバッグをぶら下げている。重い物を運ぶときはリュック。荷物を運搬する何かでしかない。冠婚葬祭や式典のときはそれっぽい黒い革のハンドバッグをレンタルする。

昔から「よくわからない袋をぶら下げている」という評価はあり、中学では自分で塗った斜めがけカバンで通学していたし（これは男子校の学生カバンを模して作った）、荷物が増えた高校では、リュックに撥水生地で作ったサブバッグを持っていった。大人になってからは、「もうちょっとちゃんとしたバッグを持ったら」とみなに言われる。まったく気にしたことがない。

高いバッグが買えないわけではない。これは決して負け惜しみではない。ただ、魅力へと繋がる回路がないだけだ。高級ブランドのバッグをみても、袋にしか見えない。サルに名画を見せても何も感じないのと同じだろう。悔しがるべきは、人間のくせに袋とバッグの差をきちんと認識できない自分の脳だ。だから、思いつく限りのバッグについていまから列挙してみる。

いつも同じカバンを持っている友人がいる。革のカバンだ。少なくとも十年、それ以上だと思う。使い込まれてすっかり飴色になった革は、彼女の丁寧なものづくり姿勢そのものだ。いつも見るたびに誠実さを感じる。

同じように、中学生が、小学校で使っていた手提げを持っている姿を見かけたこともある。キルティング生地で手作りしたレッスンバッグだ。男子生徒。普通なら気恥ずかしくなって小学校高学年くらいで手放したがるはずだけど。こんなに長く使って貰えたら作った人も嬉しいだろう。

それとは正反対に、高級ブランドバッグを売るほど持っている人もいる。銀座のホステスさんだ。

「どうして高いバッグを買うんですか」

と聞いたら、

「これは武器だから」

と言った。お客になめられないように、高級品を身につけるのだそう。バッグだけではない。ドレスも、靴も、ヘアメイクも。相手は大企業の重役だったり、社会的に地位のある男性が主になる。そこに、三十歳前後の女性が向き合うには、「高いもの」で武装するのが一番いいのだろう。「私は高くつきますよ」、「そのくらいのお金を使う覚悟はありますよね？」という問いかけなのだ。ここで怯む相手は、そもそも客ではない。


「ブランドバッグを持っていない」と言うと「ハイブランド否定派」だと思われそうだけど、そうではない。その人が好きなバッグを持てば良いし、似合っていたら最高にかっこいい。

先週、電車で見かけたお母さんも素敵だった。これから飛行機に乗るのか、大きいスーツケースの上に、これまた大きいルイヴィトンのバッグを載せていた。見たことのない柄だったから、限定品とか新作とかそういう類いのものだろう。二人の小さい男の子を両脇に座らせて制御しながら、足の間にスーツケースとヴィトンを挟む。上下スウェットで、頭は金髪のお団子。疲れた顔だしボサボサなのに、格好良かった。たぶん、スタイリストとかデザイナーとか、そういったファッションに関係するような職業だと予想する。持ち慣れている感じがあって、よく似合っている。きっと普段は子育てと仕事で疲労困憊なんだろうけど、それでも「このレアなヴィトンを買ってやる！」、「使いこなしてやる！」、「なぜなら私はそれができるから！」という自信が根底にあるのが伝わってくる。このバッグも彼女の武器なんだろうな。

ひるがえって私は、大根を入れる袋を探しているのであった。これではバッグが武器、ではなく、ただ両手に大根を持って戦わんとする人になってしまう。もはや何と対峙しているのかもわからない。リュックを探すと黒い四十五リットルサイズのビニール袋が出てきた。ゴミ袋に大根を入れて持つと、持ち手がないから大変持ちづらい。そしてさらに問題があった。

中身の大根二本は男性の膝下くらいの大きさだから、外からの見た目がどうみても切断した何かなのである。物騒なことになってしまった。泥だらけの女性がこれを電車に持ち込むのは、明らかに何かしでかした不審者だ。予備のエコバッグになんとか半分押し込んで、持つことができるようになった。

結局、野菜収穫は大根だけでは終わらず、さらに白菜二玉、カブ六つ、ロマネスコ二つ、ジャガイモ十個を追加して持ち帰ることになった。リュックも、大根を入れた袋もパンパンだ。これを一人で持ち帰った。新宿の地下通路を歩いているとき、あまりの重さに自然と涙が出た。でも、私が持ち帰らねば。戦争中、都心から農家に買い出しに来た人の気持ちがわかるような気がした。家にたどり着いて、大荷物から解放されたとたん、寝込んだ。

ホステスさんのバッグは、小さなちいさなミニバッグであった。非実用的なようだが、これが銀座の「夢の女」らしかった。同じく非現実的なヒールを履いて、タクシーで去って行った。夢の中にいる存在は滑るように移動する。歩かないのだ。

失ったチャンスを抱えて生きていくこと

完全にチャンスを失ってしまった。

私の人生で最大の後悔は、「漫画の原作を書きませんか」と何人もの編集者に声をかけていただいたのに、断ってしまったことだ。私がやりたいのは、絵や漫画を「描く」ことだから、「原作なんて……」と思っていた。しかし、数カ月してから自分の絵柄ではない絵を手に入れられる無限の可能性に気づくことになった。そして、漫画原作者もやってみたいと思うようになった。時すでに遅し。周囲は「原作者にはなりたくない人」と私を見なしていた。

後悔は大きく、いまだに諦めきれていない。いつかまた声がかかる日を夢見て、十年以上前からシナリオの学校にいったり、毎週オンラインの講座を受けたりしている。でも、もう誰も声をかけてこないのである。

シナリオ学習を続けていくのは楽しいから、のんびり次のチャンスを待つことにしよう、と自分を慰める日々。ＡＩが作画担当できるレベルになっていたらいいな、とも思う。残念ながらいまは人間の描くものとは別物だ。単に画面の情報量が多いだけで、心地良い揺らぎや情緒が抜け落ちている。色合いは同じだけど、わびさびのない茶室みたいな感じ。

この漫画原作者への執着は、つかみそこねたチャンスをもう一度と悪あがきしているものなのだけど、ほかにもやりたいことはいくつかある。

ひとつは旅する水彩画家だ。世界を旅して旅先でイーゼルを立てて水彩画を描く。これは時間に余裕がないとできないから、いまは無理そうだ。代わりに、デジタル上での水彩表現で描いている。旅の風景を描いているから、それなりに夢に近づけているんじゃないかと思う。

そのほかは「太極拳マスター」とか、「魔法使いのお婆さん」、「十六歳として仮想空間で活動するお婆さん」とか「長寿日本一でテレビに出てくるお婆さん」、「コーカサス地方に出張し村一番の長寿お婆さんと対談する日本代表お婆さん」など。とにかくお婆さんになってからの夢が多い。お婆さんに期待しすぎな感もあるが、夢いっぱいだ。


さて、今年はこのエッセイ集を刊行することになり「漫画じゃない」本が出る。今日マチ子の初のエッセイ集だ。

「これでエッセイストと名乗れますよ」

と、編集氏が言ってくれた。予想していなかった肩書き。ウキウキしながら聞く。

「エッセイストは儲かりますか？」

「いいえ、儲かりませんね」

撃沈。まあ、しばらくは文章も書く漫画家としてやっていこうと思う。その次は旅する水彩画家、その後は多忙なお婆さんである。そしていつか漫画原作者になれたら……。

旅の必需品リスト

単行本の作業が佳境になってきた。新しい連載も始まったりして、この一カ月くらい、朝四時に起きて作業している。休みもない。旅に行きたいなあ……と思いながら、旅の本を作っている。大いなる矛盾だ。私の旅の持ち物を書いておこうと思う。必需品だな、と思うもの。

・iPad Pro12.9インチ
漫画の作業用。いつも出張に〆切が重なるのはどういうことか。夜中のビジネスホテルで一人で作業している。原稿をデジタル化する前は、机の道具を一式持って行った。どうしても仕上げ作業をしなくてはいけなくて、コピックマーカー全色（四〇〇本近い）、トレス台（A３）を恐山の宿坊まで運んだこともある。iPad Proが発明されて本当に良かった。ちなみに普段はワコムの二十七インチ液晶タブレットとMacで描いている。

・iPad mini
読書と動画視聴、調べ物用。「新幹線での読書は一番はかどりますよね～」と「アフター6ジャンクション」に出演したときに盛り上がった。

・スマホ
これがないとどうにもならないのだが、しょっちゅう置き忘れる。スマホ忘れを知らせてくれるもう一つのスマホが必要なんじゃないかな。

・Apple Watch
スマホを置き忘れていないかがわかるので着けている。旅先で「今日の総歩数」を見るのが楽しみ。バンドはバックル式だと何度も外れて落として編集氏に注意されたので、いまは継ぎ目のない輪ゴム式（？）にしている。

・エコバッグ
余計に二、三枚入れておく。整理するのが苦手、かつ忘れ物が多いので、部屋に散らかした荷物を帰りにどんどんこの中に突っ込んでいく。大量に袋を持ってくる人としていつもみなに突っ込まれている。サブバッグを忘れた編集氏に貸したこともある。

・ハーブティー
宿で仕事していて、行き詰まったときに飲んでいる。家と同じ味だと少し心癒やされる。

・カメラ
GRを愛用している。28㎜と40㎜を二台持って行く。スマホは旅先だと調べ物に使ったりでバッテリーがすぐなくなるので、取材時の写真は必ずカメラで撮っている。カメラをなくしたことが数回あるので、AirTagをつけている。

・日よけ
帽子と日傘とサングラス、アームカバー。全部装着すると相当に怪しい人物になるので、電車やバスに乗るときは外している。取材時は完全防備。日傘はモンベルで見つけた晴雨兼用のトラベルサンブロックアンブレラを、ここ数年の出張では愛用している。

・化粧品まわり
いつも忘れる。コンビニで買えるからいいや、と油断しているからだと思う。

・頭痛薬
頭痛持ちなので必須。すべてのポケットに薬が入っているといってもいい。

・耳栓とノイキャンヘッドホン
車内でも使うけど、量販店などに入ったときに賑やかな音がつらくておなかを壊すことが多いので、あらかじめ耳栓をしている。髪をおろしておけばバレないはず……。

・バンダナ
丈夫なのでハンカチのかわりに使っている。寒いときには首に巻くと多少やわらぐ。

幸せそうって思われたい

「生きづらそう」

私に対する仕事先での評である。

えっ、私、不幸だったの……？

動揺して、ぐらぐらに煮立った味噌汁をひっくり返してしまった。腰から膝上まで火傷をした。冷水シャワーを数分かけた後、保冷剤で冷やしながら横になる。あまりの痛さに寝ながら泣いた。

これは、たしかにつらかった。

生きづらさ、というワードは流行言葉という面もあるから、彼らの真意はたいした意味ではないのだろう。

しかし、これだけは断言できる。いままで私は生きづらいと思ったことは一度もない。そんな言葉を自分が他人の口から導きだしたことが衝撃である。楽しく暮らしている原始人が、未来からやってきた人に「可哀想」と言われるようなものだ。たしかに、ひとりぼっちで働いているし、金持ちでもない。何の楽しみがあるんだろう？　と思われても仕方ないのかもしれない。


ただ……「生きづらさ」というワードが流行る以前にも、私よりはるかに有能な方から、

「なんでそんなに頑張るの？」

と、言われたこともある。会うなり、

「何か欠落をかかえているんですか？」

と、著名人に尋ねられたこともある。そのたびに「どういう意味だろう？」と考えてきたのだが、わからない。ものすごく簡単に言えば「一般的なレベルより少し不器用な面がいくつかある」ということだと思う。たぶん。（社会生活に支障があるほどおかしいところがあるのなら、すぐに病院に引っ張っていってほしい）。


まあとにかく、原始人は原始人なりに楽しく暮らしているので悩みはほとんどない。あるとしたら、よく虫に刺されるとか、この木の実が酸っぱいのはどうにかならんのか、くらいである。

とある人が、私を前に自分がいかにハイスペであるかを延々と語り続けたことがあった。非の打ち所がない素晴らしい経歴や能力、世界をめぐる大活躍、家族や財産に至るまでありとあらゆることを語っていた。口を挟むこともできない。スネ夫の自慢話を聞かされるのび太の気持ちだ。何時間もその人の独演は続いた。私が半ば無理矢理にトイレにいき、戻ってくると、さっきとは打って変わって小さくおとなしくなったその人が座っていた。どこにでもいるような、自信なさげな地味な人間。

しまった。

自分がなすべきことを忘れたことに、ようやく気づいた。

その人はものすごい努力家でもある。つねに研鑽しているし、虎視眈々とチャンスを求め続けている。賞賛されてしかるべきなのだが、それはもういまさら指摘するようなものでもない。当たり前のように頑張れる人だから。

でも、いまさらであっても褒めるべきだった。

そして、「幸せそうですね」と言うべきだった。

間抜けな顔をして何時間も相づちを打ち続けたことを後悔した。


「幸せそうって思われたい！」という言葉がある。二子玉川駅のホームには雑誌「ＶＥＲＹ」の大きな広告が貼られている。数年前、そこに書いてあった。幸せ、ではなくて、幸せそうって思われたい。じゃあ本当のところは幸せじゃなくていいのか。

たぶんみな、幸せそうですね、と誰かに認めてもらいたいのだろう。本当のところ、幸せかどうかなんて関係ない。第三者からの評価がなければ、それは幸せとはいえない、ということなのだ。


ポカンとしていた私は、単なる鏡だ。人々は発した言葉をそのまま自身に反射させることになる。「何か欠落をかかえているんですか」と出し抜けに聞いてきた著名人は、その人が欠落を抱えているのであり、「なんでそんなに頑張るの」と聞いてきた有能人は日頃、鬼のように頑張っているのだろう。生きづらさを指摘してきた仕事先の人々も然りだ。私がそのときに取るべき行動は、彼らに、「幸せそうですね」とスタンプを押すべきだったのである。そうすれば彼らは安心して会話を終えられたのだろう。

誰もが努力をしている。でも、それがわかりやすく実を結ぶこともなければ、人目に触れることもない。聡明な人間なら、決して自分からひけらかすこともない。でも、努力の結果、手に入れたものは他者に認めてもらいたいのだ。

とはいえ、私にとっての幸せとは努力とは関係ないものばかりだ。この時間のこの日差しの角度が美しいとか、毎年顔を出す道ばたの草とか、ビルの裏のシルエットとか、そんなものばかりである。努力で得られたものは、幸せではなくて、ただの報酬ではないかしらん。

私はこういうなんでもない幸せを集めて、ほかの人に見せることに喜びを感じている。それが、SNSで一枚絵を発表しつづけている理由になる。コロナ禍の日記も、旅日記も、いつかは失われてしまう、どうってことのない風景の美しさをとどめておこうと思って制作してきた。いつかこの風景が失われたときに、幸せな記憶として取り出してもらえたら。

そんなことを思っている。

ラジオ体操を継続する方法

以前も書いたラジオ体操だが、実はまだ続けている。一日四回、第一・第二とフルで参加している。大変に熱心なリスナーだ。ラジオ体操に人生を支配されている。続けるポイントをいくつか発見した。三つある。

一つめは、ラジオ体操用のカレンダーを用意し、できた回数分シールを貼っていくこと。

二つめは、基本的にすべての放送回に参加すること。参加できなかったら、必ず聞き逃し配信で体操する。

三つめは、「誰よりもラジオ体操が大好きである」と思い込むことだ。健康のためではなく、単に、ラジオ体操を全力で推したい人になるのだ。周りの人々がアイドルを推すように、自分はラジオ体操の出演者を全力で推している。毎回の放送の微細な違いを楽しみ、なんなら、自分がいないとラジオ体操が終わってしまうくらいに思い込んでいる。「ラジオ体操の人たちが毎回私を待っている」という設定だ。参加しないと、彼らが「どうしたんだろう」と心配してくれるのである。おめでたい空想だけど、何を考えようがラジオ体操が続けばいいのである。私がラジオ体操を次世代に継承していくのだ、という心意気だ。

先日、雅楽入門という講座があったので参加してきた。「越天楽」くらいしか判別できない、まったく知識のない世界。譜面の読み方を教えてもらったりして、だいぶ興味を持てるようになった。時計のない世界で生まれた音楽だから、拍というものがない。そのかわりに呼吸で合わせていくらしい。世界の基準となるものが現代とは全く違う。時計のない世界。

「ずいぶんと時計の多い家だね」

と、家を訪ねてきた友人に言われたとおり、私の家はあちこちに時計が置いてある。壁という壁にかかっている。死角なし。完全に『モモ』の世界の可哀想な大人だ。

漫画を仕事にしてから、〆切が心配であちこちに時計を置くようになった。ちなみに、キッチンタイマーもたくさんある。いまも手元に二つある。いちご型のタイマーは気に入っていて三つある。最近では鳩時計型のタイマーを買ってみた。もはや趣味の世界、コレクターだ。

冷静に考えてみれば、時計を増やすより〆切に遅れないように対策を練るのが大切なのだ。時計を増やしてもただ焦りが増すばかり。何の意味もない。

世界から時計をなくしたら、基準となるものはなんだろう。雅楽は人の呼吸だった。私なら……ラジオ体操だろうか。笑い話みたいだけど、この一日四回のラジオ体操が支配する世界に生き続けていたら、見えてくるものがあるんじゃないかと真剣に考えている。この流れが生み出す作品があるのではないか。

まあ、いまのところはかわいいタイマーが欲しいだけなのだけど。

ＩＮＴＪ女

ＭＢＴＩ診断というものがある。少し前からアイドルとか芸能人のショート動画でアルファベット四文字をよく見かけるなあと気になっていた。ＭＢＴＩ診断の性格タイプを示していたわけだ。ようやくそれがわかり、自分もやってみた。「ＩＮＴＪ（建築家）タイプ」。

建築……？

実は、私は高校時代は建築家を目指して勉強していたのだ。ＭＢＴＩよ、なんで知ってるんだ？　建築科を受験して、合格してから気まぐれで他科に変更した。あまりにも昔のことで、家族さえもこの謎の進路変更を忘れているだろう。他人に話したこともほとんどない。久しぶりに建築というワードを自分から引き出されて驚いた。

この型は物語の中での悪役的なキャラクターが多いらしい。主人公じゃない。アンパンマンとして生きてきたつもりが、バイキンマンだった。衝撃である。私の見てきた世界がひっくり返ってしまった。よく思い出してみれば、バイキンマンはいつもがんばっているのである。アンパンマンを倒すために筋トレしたり兵器を作ったり、計画を立てている。がんばりが認めてもらえないのも悪役だからなんだろう。

過去に『アノネ、』という作品で、「主人公と思い込んでいたら世界からはじき出される」というのを描いた。完全に他人事として作ったのだけど、いまや、私がその立場になってしまった。主人公でないのは薄々わかってはいたけれど。それでも、自分の小さな人生くらい、主人公として振る舞っても良いのではないか。それさえも許されないのか。

いままでよかれと思ってやってきたことは、すべて悪の組織の世界征服のためのものだったのか。

正義とはなんなのか、揺るがされている。

絶対信じないぞ。こんな診断。

とはいえ、ＩＮＴＪ（建築家）の特徴としてのコミュ障とか合理主義とかは自覚しているものも多い。人前に出るのが極端に苦手なこととか、用がすんだらさっさと帰る習性のせいで不興を買ったりするとか、「思いやりがない」と人に責められるとか、思い当たる節はある。あんまり良いところがなくて自分でもへこんでくるが、決して悪気があるのではない。「思いやり」、「優しさ」なんて人それぞれだから、私なりの優しさは、放置なのだ。コミュニケーションが下手な人間は余計なことをすべきではない。……と、こんな長文をせっせと打ち込んでいるのもＩＮＴＪっぽいんだろうな。

隣のホテルは鞄の中の鯛焼き／映画「君たちはどう生きるか」

デパートの商品券を持った友だちと、鯛焼きの無料プレゼント券を持った私で映画を観てきた。伊勢丹で昼御飯を食べ、裏の角で鯛焼きをもらい、カバンに入れて歌舞伎町へ行った。このあたりはホテル街だけど普通の古いマンションもある。

「住んだらけっこう便利かもね」と話す。隣のビルで何が行われているのか知っていても、そこは秘め事。見えなければ支障はない。仕事鞄の中の、ほかほか鯛焼きみたいなものだ。歌舞伎町のマンション見学に夢中になりすぎて、上映に遅れそうになったけど、予告編をパスするだけですんだ。

映画「君たちはどう生きるか」を観る。公開初日からだいぶ時間が経ってしまった。これは原作の吉野源三郎の『君たちはどう生きるか』が苦手だからだ。内容が嫌いなのではなくて、中学受験の国語にやたら登場してきたため、アレルギーになっている。小学生の頃のトラウマがいまだにある。

当時は国語の問題文をめくるたびに、「またコペル君か！」と心の中で叫んでいた。良いことを言っているのは理解できる。でも、こんなふうに試験問題になって、ぶつ切りの正義として目の前に何度も並べられたら辟易する。

コペル君ごめん。

さて、映画の「君たちはどう生きるか」。ネタバレに厳しい世の中なので内容は書かないけれど、とても面白かった。宮崎監督がいままでの創作人生をかけて到達した場所だからこそ、作れるのだと思う。

終映後のトイレの中では「どういう意味?」、「わからなかった」という声がたくさん聞かれた。宮崎作品の中ではだいぶ文学っぽいというかアートよりなのかな? という印象だけど、アートの映像作品はひたすらこちらに忍耐と文脈と大喜利並の思考を挑んでくるので、映画館に座って二時間程度で楽しめるこの作品はやっぱりアニメでありエンタメだろう。

あらゆるシーンに意味が被せられていて、でもそれらが解答として一直線にストーリーとしてつながるものでもない。正直なところ、単純明快な話とは言いがたい。だから、わからない、というのが正しいのだと思う。それに、わかった、というのもだいぶ驕っている。

散漫なように見えるさまざまな表現は、レゴブロック的なパーツだと考えることにした(積み木でもいいんだけど、作中のものと紛らわしいからブロックにしておく)。それが、「君たちはどう生きるか」というボックスにギチギチに詰められている。観た人がそれぞれにとりだして、自分の思考の道具として使う。

例えばダンテの『神曲』を考えるとき、その地図のひとつとして作中に出てきた地下の世界を思い描いてみることもできる。白雪姫に「小さなお婆さんたち」を用いることもできる。母親像の引用、理想の少女と現実の少年とか、いま自分が考えたいことに重ねていく。パーツを組んで、ジブリの別作品を作ってみてもいい。

存分に抽象化ごっこを楽しんでから、もう一度自分の問いに戻ってくる。きっと見えるものがあるんじゃないかな。


私が魅力に感じたところは、主人公が邪悪の種みたいなものをちょこちょこ出してくること。歴代ジブリ主人公に私たちが期待してしまうものを裏切っていく。でも、人間とはそんなものだ。主人公補正をかけても隠せない弱さとか狡さ、高慢さみたいなものと向き合えたのは、永遠に主人公になれない私たちへの救いのような気がする。

帰りの電車の中で、脳内のボックスをずっと漁りつづける。降ってきた雨が電車の窓に当たりはじめた。パーツがじゃらじゃら音を立てている。水滴が流れていく様を模して作り始める。

これ、永遠に遊べそうだな。

先日の性格診断で悪役と言われて以来、ずっと投げやりな気分だ。悪役。何をやっても嫌われるじゃないか。まあ、いままでも自分で気づかなかっただけで人生がずっと悪役だったのだろう。開き直るしかない。でも嫌われたくないというのは人間誰しも願うところじゃないか？誰からも愛されてチヤホヤされたい。それなのに、地味に真面目に生きているのに、なぜ私は悪役なんて言われなければならないのか？　そう考え始めると、ますます主人公を恨む気持ちがわき上がってきて、さらに悪役らしくなってくるのだった。

「好きなこと」を諦めるとき

最近、「好きなこと」を諦めた。

それは料理だ。夜にとても疲れていることが多くなった。その理由をいろいろ考えてみたのだけど、なんと、夕食作りに一、二時間かけていることがわかった。二時間立ちっぱなしなのだ。そりゃ疲れるだろう。自分では三〇分くらいだと思っていたから、驚いた。

基本的に、私は手を動かして作ること全般が好きだ。だから、料理も大好きだ。調理することで食材が変わっていくのが面白い。冷蔵庫の在庫から一週間分作りおきのシステムを考えたり、カレーと豚汁は途中まで一緒だな、とか、レシピ同士の共通点をみつけて喜んだりしている。たぶん、材料がそろっていれば永遠に作っているだろう。

〆切が続いたりして忙しくなってくると、この料理への時間が原稿作業時間を圧迫してくる。原稿を描きながら鍋を火にかけたりするので、すっかり忘れて焦がしてしまったりする。フラフラで包丁を握っているから、しょっちゅう手も切る。もうめちゃくちゃだ。いったい何がしたいのかわからない状態になっている。

このままではダメだ。

惣菜の宅配を頼むことにした。料理好きを自負している自分にとっては、屈辱的だ。だって、自分で作れるのに。お金をかけて、なぜ、できることを外注しなくてはならないのだ。

でも、だからこそなのだ。自分でできると思っているから、延々と作り続けてしまう。結果、自分を苦しめている。どこかで強制的に歯止めをかけなくては。

ちなみに、なぜ宅配にしたのかにも理由がある。惣菜をスーパーに買いに行くと原材料の野菜や肉コーナーを見てしまう。つい、「そうだ、あれ作ろう!」になってしまう。見切り品コーナーを通りがかるともう大変である。この哀れな全員を私が拾いあげて今日のうちに調理してやろう! と謎の使命感さえ沸いてくる。

とにかく、食材を見ないようにしなければならない。

惣菜の宅配を導入してから、夕飯はご飯をたいて、味噌汁を作って、簡単なサラダを用意するくらいになった。だいたい十五分、長くても二〇分で準備が終わる。明らかに、疲れなくなった。そして、スーパーでの食材を買う回数が減ったから、さらに疲れなくなった。

好きなことを諦めた寂しさは、いまのところ特にない。

導入以前のほうが悩んだ。好きなことを諦める負け感とか、お金のこととか。そんなとき、昔から料理が好きで、いまは自分の料理店を持っている知人を思い浮かべた。彼女くらいの熱意はあるか？

「いや〜そこまではないですねえ」

「でも好きなんですけどね」

そんなふうに答える自分が現れる。

好きなことは、手放しても良いのだ。手放せないくらい、自分の身体の一部になってしまったことだけが、ずっと付き合っていくべき仕事なんだろう。

料理と同じように、諦めたのは洋裁だ。これも大好きで、一時期は一日に三、四時間もミシンを動かしていた。当時、マンガのネームがうまくいかなかったり、仕事量が多かったりで、気持ちが停滞していた時期だった。簡単に作品が生まれる洋裁の達成感に目がくらんでいたのだろう。家庭用ミシンでは飽き足らず、ロックミシンや職業ミシンのカタログを眺めるようになった。

ふと、友人の、服作りのプロを考える。

「いや〜そこまではないですねえ」

そう答えが浮かんで、洋裁はやめた。毎日ミシンを取り出していたけど、月に一回、数時間だけ楽しむようになった。いまはそれで充分だ。

好きなことがある、というのは素晴らしいけれど、「好き」にとらわれはじめると、結構厄介なことになってしまう。好きなことを好きでいるためには、どこかでいつでも手放せる気持ちでいるのが大切なんじゃないかな。

好きなことは仕事の選択のひとつの指標にはなるけど、それを職とするのはもっと上に行かねばならない。学ぶ、研鑽を積む、時間をかける。そうしていくうちに、好きという気持ちはもう消えてなくなっている。ある技能に特化された身体だけがある。

私も、マンガや絵を描くこと、物語を作ること、というのは、好きかと言われれば違う。もちろんキャリアを始めた頃は好きだった。でもいまは、身体に染みついた職能だ。永遠に、淡々と。別に楽しくもない。面白さはあるけど。とにかく、仕事としてやっていくだけである。だけど、日常になっていることは、誇りを持っていい。かつて非日常で単純に好きだったことを、小さな積み重ねで日常にじりじりと引き寄せて、いまやその人の全体を覆うほどに成長させたのだ。

料理屋の彼女も、服飾の友人も、たぶん、私も。

あとがき

三月、猫のムームが狭くて暗いところに閉じこもるようになった。それまでは高齢とはいっても、元気に机に飛び乗ったり、若い猫と同じようにご飯を食べ、家中を散歩していた。怯えているのか、怒っているのか。いつもとは明らかに違う様子だ。歯が悪くなっていたので手術をする。でも、良くならない。そのうちうまく口が動かせなくなって、胃ろうの手術をした。七月、名医と言われる遠くの獣医師に連れて行く。癌だろうと言われた。もって、あと一ヵ月だと。

二〇二四年を旅の一年にする、と決めていたのに、愛猫の病気は考えてもいないできごとだった。出かけていない日はつきっきりで看病した。家具の隙間に閉じこもり、まったく食べなくなったムームに、指の先に「ちゅーる」をつけて、差し入れた。一日四時間くらいこんなことをしていた。仕事が全然進まなくなってしまったけど、睡眠時間を削って対応した。猫は精一杯生きている。できるかぎりのケアをする。いままで一緒に生きてきてくれたのだから、私がつらくても、絶対に猫のせいにはしないぞ、と決めていた。

旅行の予定はそのままにした。一ヵ月に一回程度の出張なら、周囲の人々に協力してもらえば大丈夫だと思ったからだ。かならず誰かが猫のそばにいるように予定を組んだ。それは看病で張り詰めたなかに無理矢理に入れた私自身の休息だった。仕事のための旅だから、のんびりすることはなかったけど。気持ちだけ、一瞬だけでも違う世界に行く。新幹線で寝る。回復する。救いの旅だった。

旅がなければ、きっと途中で私が倒れてしまうか、心に余裕がなくなって、猫を嫌いになってしまったと思う。最後まで愛情を持って見送ることができたのは、旅のおかげだ。

帰ってきて、病状が進んでいないか確認して、ほっとする。

そうしてまた看病しつづける。

最後の一カ月は、どこにも出かけず一緒にいた。近所の用事であっても、三〇分以内に駆けて戻ってきた。

ムームはとても賢い猫だった。高飛車でもあったから、私に対してはいつも命令ばっかりだったけど、こちらが風邪を引いたりして寝込むと心配して足元に座っていた。最後の日は、私の誕生日だった。ケーキを食べて、いったん仮眠をすることにした。ちょっと寝るね、と話しかける。これが最後になった。起きると、ムームは天国へ旅立っていた。日付が変わって二分。まだ亡くなって間もないようだった。私の誕生日を完璧に一緒に過ごしてから出かけようと考えたのだろう。最後まで賢くて優しい。

その後ペットロスになって、すべてが停滞していくのを感じた。旅の季節も終わって、何も新しい景色がなくなってしまった。このままじゃいけない。

猫が好きなら、猫の死も生もすべて受け入れたい。だから、新しい猫を迎えることにした。キュウという名前にした。

これがなかなかのやんちゃ坊主で、四六時中走り回っている。先輩猫のネルネ姉さんにプロレスを挑んだり、しまいにはムームの骨壺をかじったりしている。そしてあっという間に巨大サイズに成長した。人間なら、一七〇センチ超えの小学生みたいなものである。とんでもない子がきてしまったな……。

旅と家猫。

つながらないふたつが、つながった一年だった。

ぬくぬくと寝ている二匹を眺めながら、さて、次はどこへ行こうかと考えている。

sigh of relief.
Then I'd continue to take care of her.
During her final month, I stayed with her and didn't go anywhere. Even if I had to run an errand nearby, I would run and be back within 30 minutes.
Moomu was a very smart cat. She was also very high-and-mighty, so she was al ways ordering me around, but if I caught a cold and fell asleep, she would wor ry about me and sit at my feet. Her last day was my birthday. After eating some cake, I decided to take a nap. I told her I was going to sleep for a little bit. This was the last time. When I woke up, Moomu had gone to Heaven. Two minutes had passed since the date changed. It looked like she had only re cently passed away. Maybe she thought she would spend my birthday with me perfectly before heading out. She was clever and kind until the end.
Then I'd lost my pet, and it felt like everything had come to a standstill. Travel ing season had also ended, and there were no new sights to see. I couldn't go on like that.
If you love cats, you want to accept everything about them, both life and dea th. So, I decided to welcome a new cat.
I named him Kyu.
He was quite a naughty boy, running around at all hours of the day and night. He challenges my older cat Nerune in pro wrestling, and finishes it off by gna wing on Moomu's urn. In no time at all, he grew to a gigantic size. If he were human, he would be like an elementary school student over 170 centimeters tall. An incredible child has arrived...
Traveling and pet cats.
It was a year in which two things that had never been connected became link ed.
Looking at the two cats sleeping comfortably, I thought about where I should go next.

In March, my cat Moomu started to hide herself away in small, dark spaces. Until then, even though she was old, she had been energetically jumping up on my desk, eating like a young cat, and strolling around the house. Was she frigh tened of something? Was she angry? She clearly looked different from usual. She got surgery because her teeth had been getting worse. But she didn't get be tter. Eventually, she couldn't move her mouth properly anymore, so she got a gastrostomy. In July, I took her to a veterinarian located far away who was said to be excellent. I was told she likely had cancer. And that she had only a mon th left.
I had decided that 2024 would be the year I went traveling, but my beloved cat falling ill was something I'd never even given thought to. On days I wasn't going out, I was with her constantly to nurse her. Moomu would seclude herse lf in the crevices of the furniture and stop eating completely; I would put some Churu on the tip of my finger and stick my hand in to feed her. I did this for about four hours a day. I couldn't make any progress at work, but I dealt with it by cutting back on sleep. My cat was doing her best to live. I took care of her the best I could. I decided that because she had lived with me up to this point, even if I had a hard time, I wouldn't blame my cat.
I left my travel plans as-is. I did so because I thought that if I only had to trav el once a month at most, it would be fine, as long as I got help from people aro und me. I made plans so that someone would always be near my cat. Traveling was my own forced break from being tensed up from nursing care. I was travel ing for work, though, so I wasn't taking it easy. I would go to a different world, even if only in spirit, or just for a moment. Sleeping on the Shinkansen. Recov ering. Traveling was a saving grace.
If I hadn't traveled, I'm sure I would have collapsed, or lost emotional streng th, and begin to hate my cat. It was thanks to my travels that I was able to see her off with love in the end.
I would come home, check to see if her condition had worsened, and breathe a

本書は2023年9月～2024年4月までの note に掲載された文章に、加筆・修正を加えたものです。

今日マチ子（きょう・まちこ）

東京都出身。東京藝術大学、セツ・モードセミナー卒。自身のブログで、ほぼ毎日更新している1ページのショートマンガ『センネン画報』が単行本化され注目を集める。2005年に第1回「ほぼ日マンガ大賞」入選。2006年と2007年に『センネン画報』が文化庁メディア芸術祭「審査委員会推薦作品」に2年連続で選出。2010年に『cocoon 』、2013年に『アノネ、』がそれぞれ、文化庁メディア芸術祭「審査委員会推薦作品」に選出。2014年に手塚治虫文化賞新生賞、2015年に 日本漫画家協会賞大賞（カーツーン部門）を受賞。最新作は『かみまち』、『すずめの学校』。

翻訳　トライベクトル

きみのまち　歩く、旅する、書く、えがく

2024年6月12日 初版第1版発行

著　者　　今日マチ子
装　丁　　川名 潤
発行者　　野口理恵
発行所　　株式会社 rn press
郵便番号158-0083
東京都世田谷区奥沢1-57-12-202
電話　070-3771-4894（編集）
FAX　03-6700-1591
印刷・製本　モリモト印刷株式会社

ISBN978-4-910422-17-6